令和６年版

首都圏白書

国土交通省編

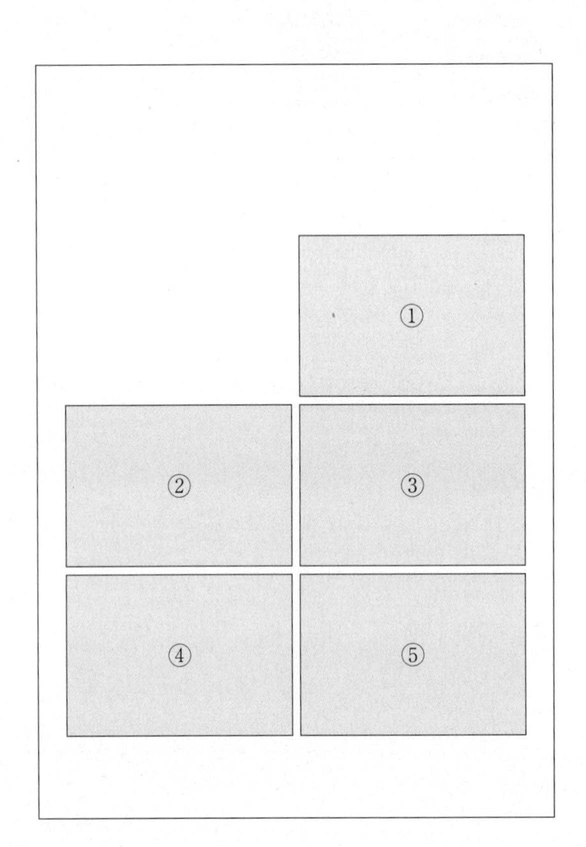

表紙の写真

① 都賀西方スマートIC
（画像提供：栃木市）

② 自動運転の社会実装に向けた取組（ひたちBRT）
（画像提供：日立市）

③ オープン＆フレンドリースペース「Area898」
（画像提供：横瀬町）

④ グリーンインフラ大賞（八ツ堀のしみず谷津）
（画像提供：国土交通省）

⑤ HANEDA INNOVATION CITY®
（画像提供：羽田みらい開発株式会社）

目次

首都圏整備の状況

本文中の「首都圏」、「東京圏」等は、特にことわりのない限り、次の区域を示す。

首都圏：茨城県、栃木県、群馬県、埼玉県、千葉県、東京都、神奈川県、山梨県
東京圏：埼玉県、千葉県、東京都、神奈川県
近隣３県：埼玉県、千葉県、神奈川県
周辺４県：茨城県、栃木県、群馬県、山梨県

特にことわりのない限り、図表中の「Ｓ」は昭和を、「Ｈ」は平成を、「Ｒ」は令和を示す。

本白書は、原則として、令和６(2024)年３月末時点で把握可能な情報を元に記載している。

本白書に記載した地図は、我が国の領土を網羅的に記したものではない。

首都圏整備の状況

第1節 人口・居住環境・産業機能の状況

1. 人口の状況

（1）首都圏の人口推移

首都圏の総人口は、昭和50(1975)年以降一貫して増加していたが、令和２(2020)年をピークに減少に転じ、令和５(2023)年も引き続き減少傾向となっている（図表1-1）。全国及び首都圏の圏域別の人口の推移を見ると、令和３(2021)年は全ての圏域で減少したが、東京都は令和４(2022)年に増加傾向に転じた。一方、近隣３県は引き続き減少傾向にあり、周辺４県は、平成13(2001)年をピークに減少が続いている。

人口動態を見ると、出生数から死亡数を引いた「自然増減」は、近年、全国及び首都圏の全圏域で減少が続いている。また、転入者数から転出者数を引いた「社会増減」は、首都圏では、新型コロナウイルス感染症（以下「新型感染症」という。）の拡大した令和２(2020)年以降、減少が続いていたが、令和５(2023)年には新型感染症拡大以前を上回っている。首都圏の圏域別に見ても、周辺４県を除いた圏域において同様の傾向である。

図表1-1　人口の推移（昭和50(1975)年～令和５(2023)年）

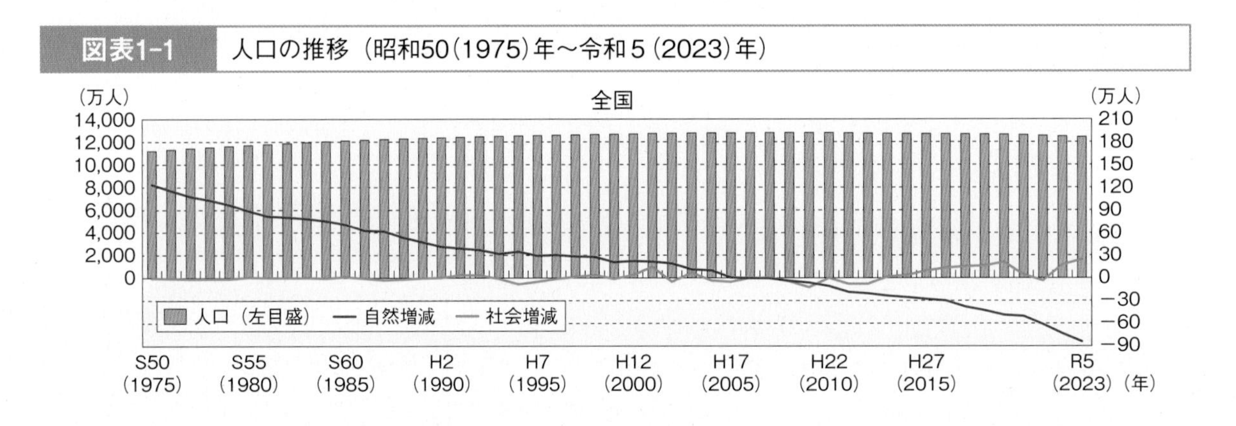

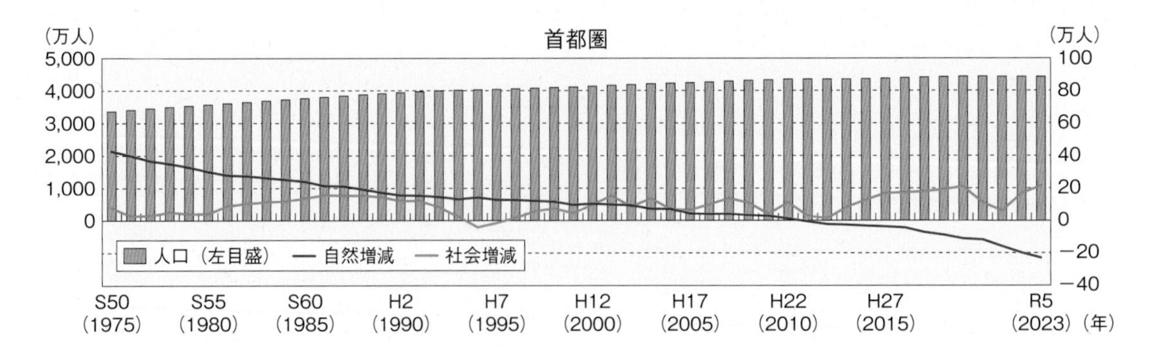

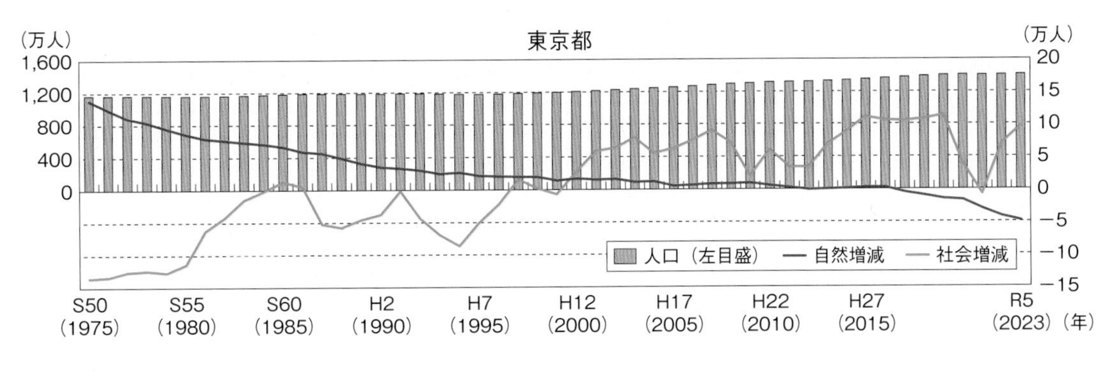

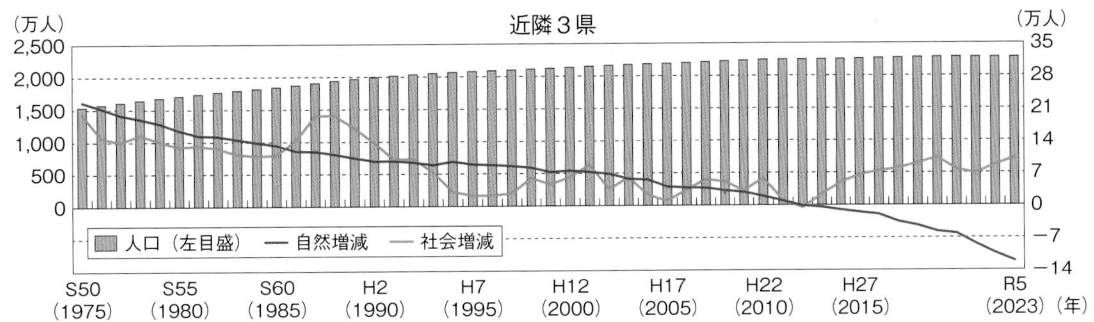

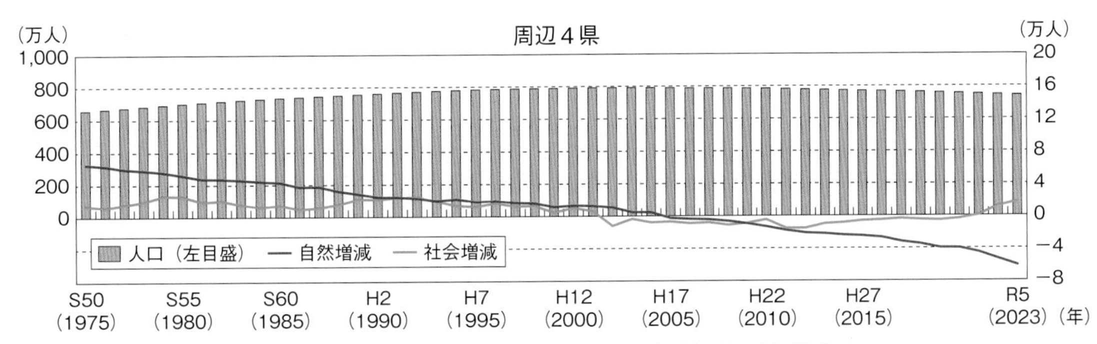

資料：「人口推計」（国勢調査実施年は国勢調査人口による）（総務省）を基に国土交通省国土政策局作成

（２）首都圏の年齢別構成

首都圏における人口の年齢別構成を見ると、全国と比較して15～64歳人口の割合が高く、65歳以上の高齢者人口の割合が低くなっている（図表1-2）。圏域別に見ると、東京都と近隣３県においてその傾向が強い一方、周辺４県においては、全国と比較しても、15～64歳人口の割合が低く、65歳以上の高齢者人口の割合が高い結果となっている。

図表1-2　人口の年齢別構成

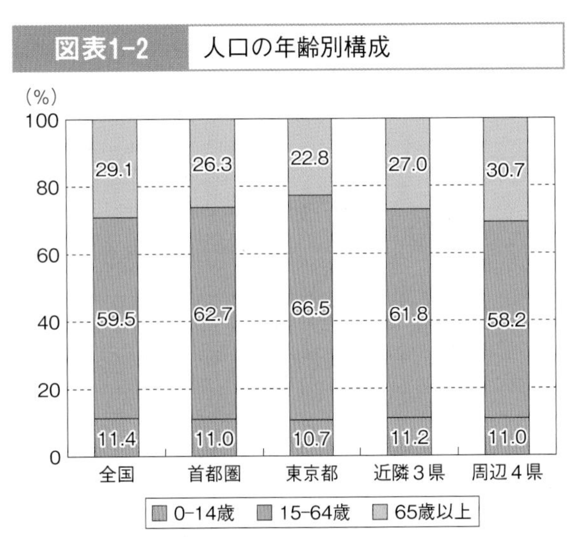

注１：令和５(2023)年10月１日現在
注２：年齢別人口の割合は不詳補完値により算出
資料：「人口推計」（総務省）を基に国土交通省国土政策局作成

（３）首都圏の将来推計人口の推移

首都圏の総人口は、令和２(2020)年をピークに減少に転じ、令和５(2023)年も引き続き減少傾向となっている（図表1-1）。

今後も、人口減少が続く見込みであり、さらに、生産年齢人口比率の低下と高齢化率の増加が進行することが予想されている（図表1-3）。

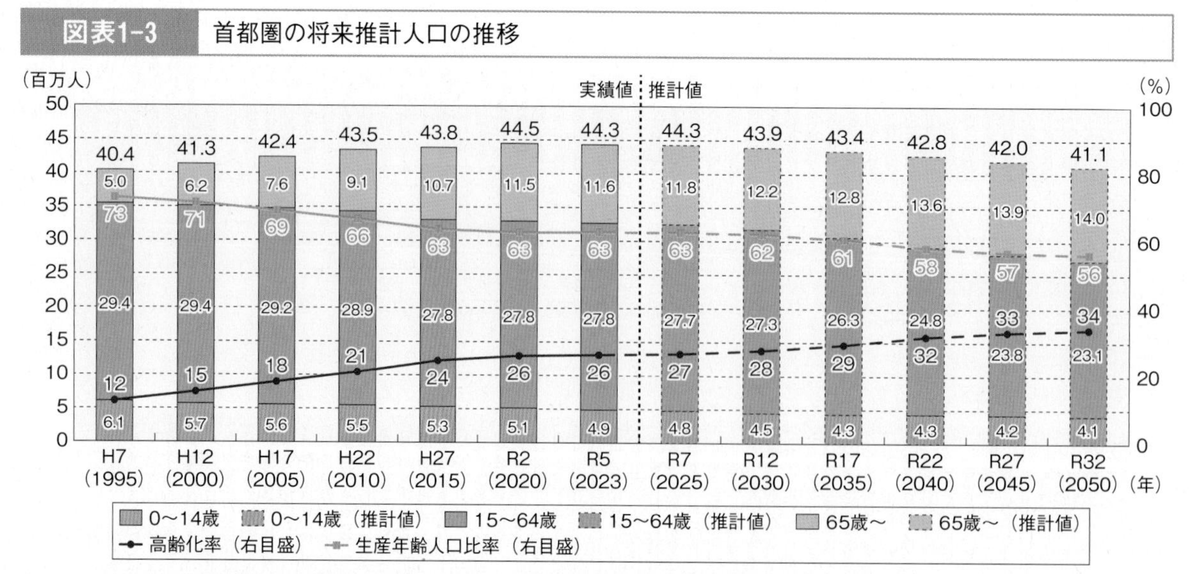

図表1-3　首都圏の将来推計人口の推移

注　：H７～R２は「国勢調査」、R５は「人口推計」、R７～R32は「日本の地域別将来推計人口」による
資料：「国勢調査」（H７～H27は年齢不詳をあん分した人口、R２は不詳補完値による）（総務省）、「人口推計」（総務省）「日本の地域別将来推計人口（令和５(2023)年推計）」（国立社会保障・人口問題研究所）を基に国土交通省国土政策局作成

（4）首都圏の一般世帯数[1)]

首都圏の一般世帯数は、令和２(2020)年は2,047万世帯で増加傾向にあり、特に東京都及び近隣３県における増加率が高い（図表1-4）。一般世帯数のうち、単独世帯数は837万世帯で、単独世帯数に占める高齢単身世帯数の割合は、平成27(2015)年まで増加していたが、令和２(2020)年は横ばいとなっている。

1）以下のア、イ、ウのいずれかに該当するものであり、「施設等の世帯」以外の世帯をいう。なお、「施設等の世帯」とは、学校の寮・寄宿舎の学生・生徒、病院・療養所等の入院者、社会施設の入所者、自衛隊の営舎内・艦船内の居住者、矯正施設の入所者等から成る世帯をいう。
ア）住居と生計を共にしている人の集まり又は一戸を構えて住んでいる単身者。ただし、これらの世帯と住居を共にする単身の住込みの雇人については、人数に関係なく雇主の世帯に含める。
イ）上記の世帯と住居を共にし、別に生計を維持している間借りの単身者又は下宿屋等に下宿している単身者。
ウ）会社・団体・商店・官公庁等の寄宿舎、独身寮等に居住している単身者。

図表1-4　一般世帯数等の推移

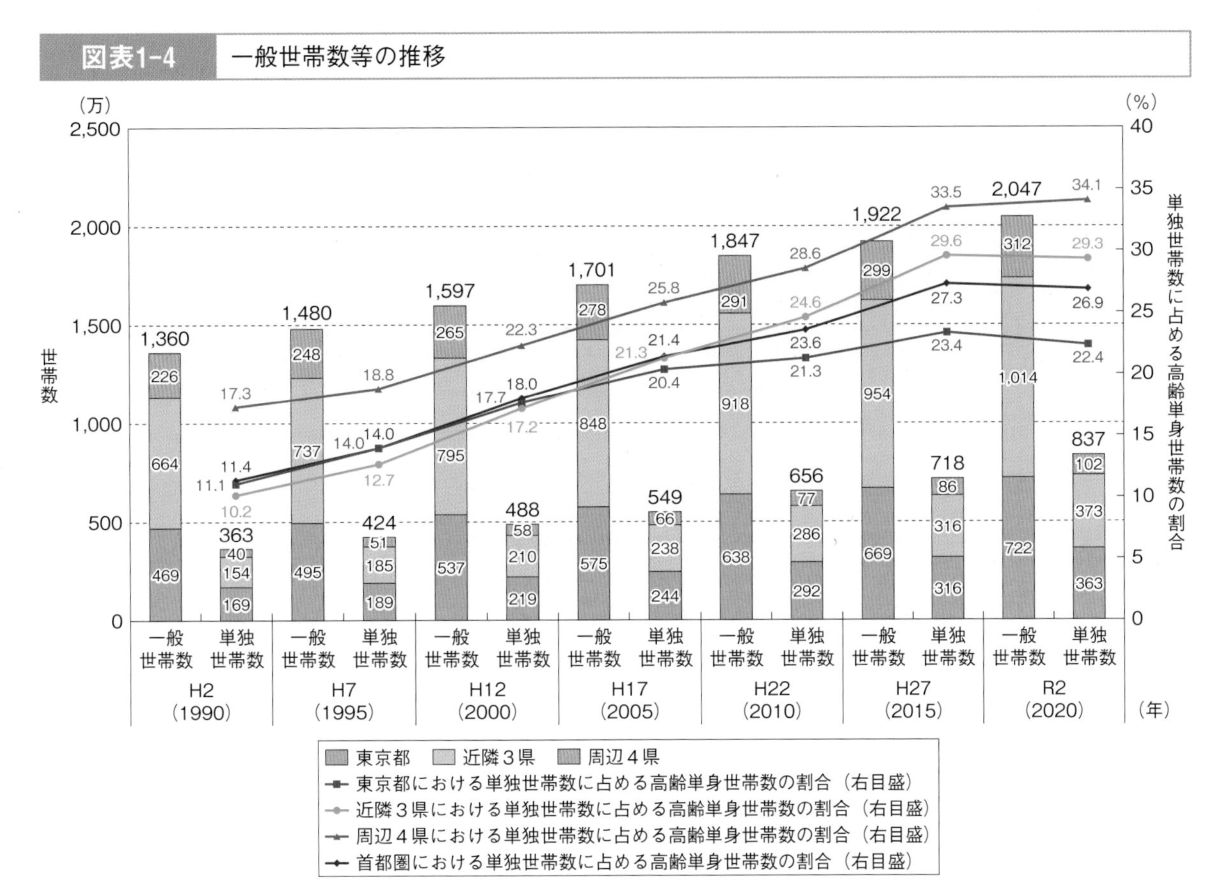

注1：各年10月1日現在
注2：「単独世帯数」は世帯主の年齢が不詳であるものを含む。
資料：「国勢調査」（総務省）を基に国土交通省国土政策局作成

（5）首都圏の少子化の状況

首都圏では、全国平均と比べて合計特殊出生率が低く、特に東京都は全国で最も低い（図表1-5）。首都圏での40歳時の未婚割合[2)]は全国平均と比べて高くなっており、男性は周辺４県で高く、女性は東京都で特に高くなっている（図表1-6）。

また、小学生の児童数について、東京都の小学生の児童数の推移をみると、平成26(2014)年以降は微増傾向であったが、令和５(2023)年は減少に転じた（図表1-7）。

2）40歳時の未婚割合は、35～39歳の未婚率と40～44歳の未婚率の平均として算出

図表1-5 合計特殊出生率（令和４（2022）年）

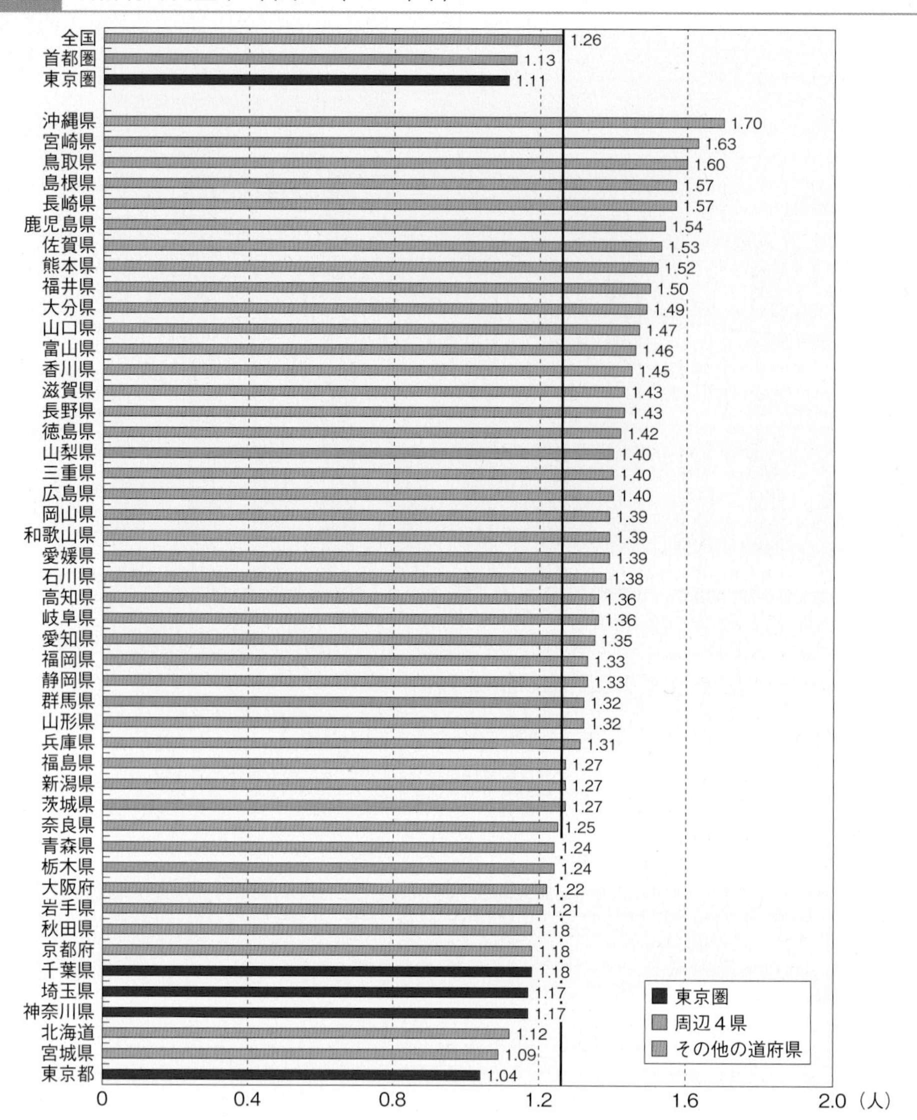

資料：「人口動態統計」（厚生労働省）、「人口推計」（総務省）を基に国土交通省国土政策局作成

図表1-6　40歳時の未婚割合（令和２（2020）年）

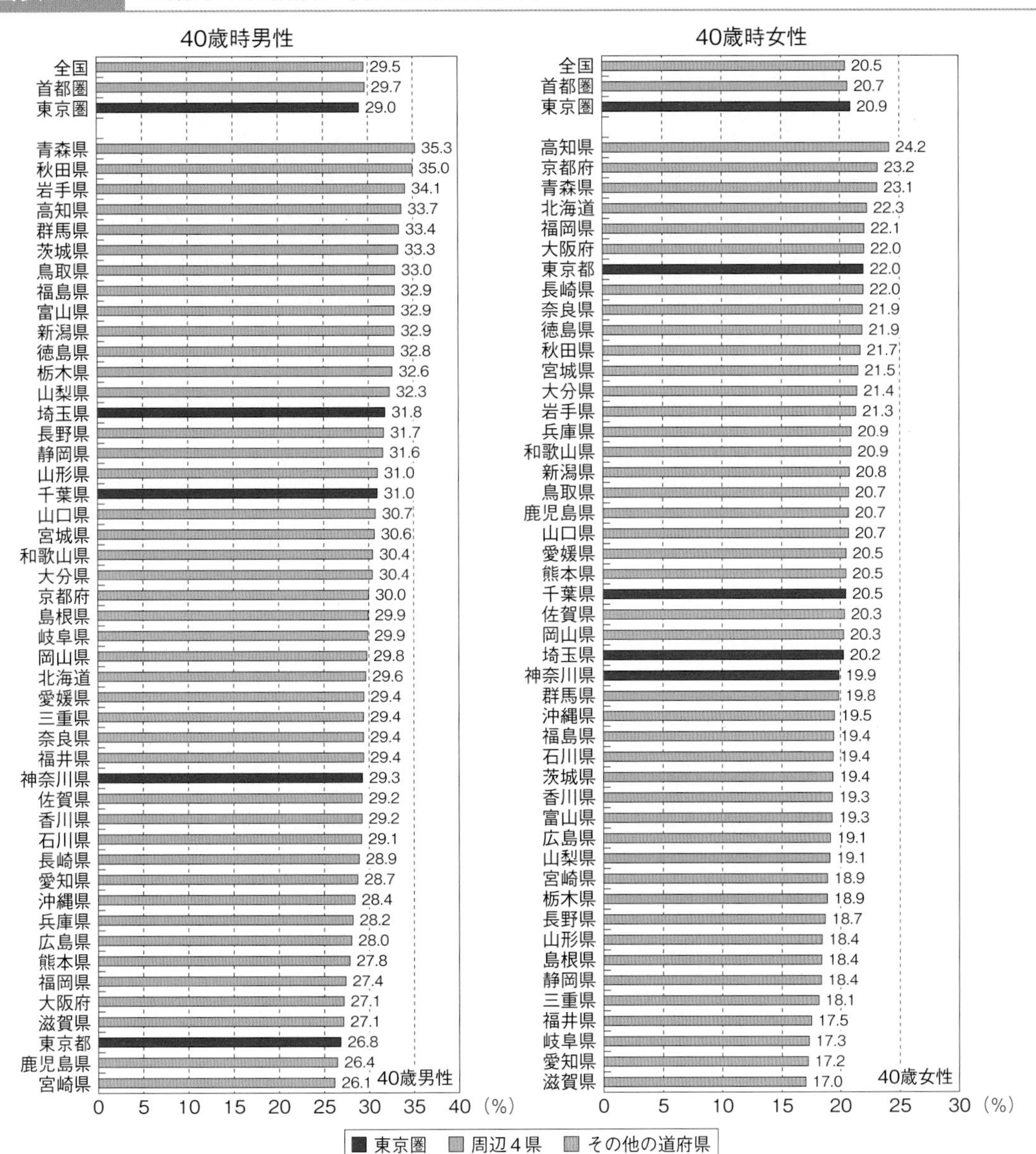

資料：「国勢調査」（総務省）を基に国土交通省国土政策局作成

図表1-7　東京都の小学生の児童数の推移

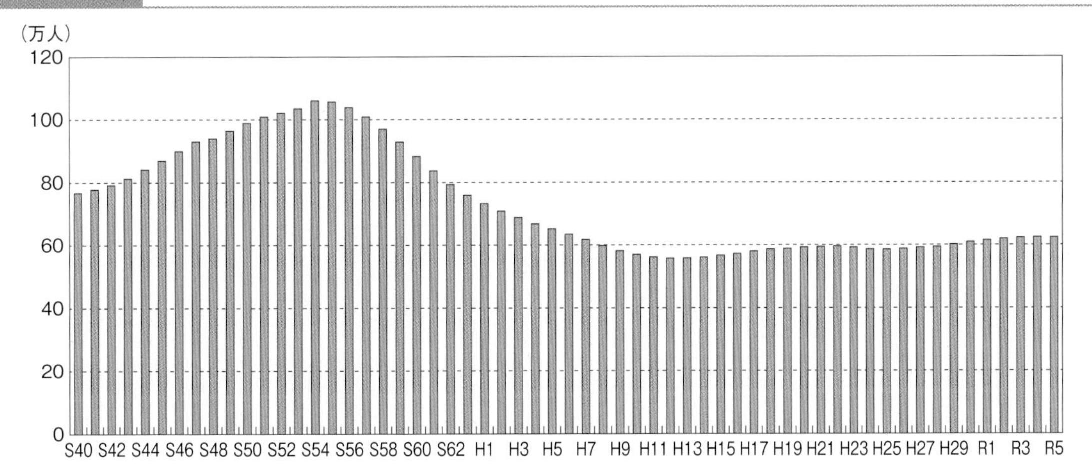

資料：「学校基本調査」（文部科学省）を基に国土交通省国土政策局作成

2．居住環境の状況

（1）住宅供給の状況

（距離別の住宅供給の状況）

東京70km圏内の市区町村（図表1-8）における平成２(1990)年から令和５(2023)年までの累計着工戸数は約1,301万戸となっており、一戸建の持家（戸建持家）又は分譲住宅（戸建分譲）の戸建型が全体の36％である一方、共同建の貸家（共同貸家）又は分譲住宅（共同分譲）の共同型が57％と、共同型の占める割合が大きい（図表1-9）。

また、距離圏別の住宅型ごとのシェアを見ると、中心に近づくほど共同分譲や共同貸家のシェアが大きくなる一方、中心から遠ざかるほど戸建持家のシェアが大きくなる傾向にあり、令和５(2023)年では、10km圏における着工戸数の25.9％が共同分譲、60.5％が共同貸家となっている（図表1-10）。

図表1-8　東京70km圏内の市区町村

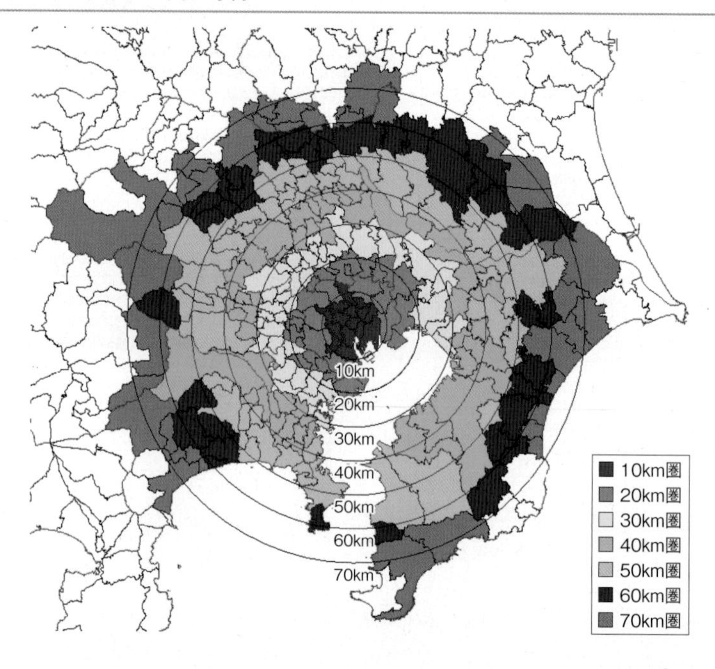

資料：国土交通省

図表1-9　東京70km圏内の市区町村における利用関係・建て方別の累計住宅着工戸数（平成２(1990)年～令和５(2023)年の累計）

単位（千戸）

	一戸建	長屋建	共同建	合計
持家	2,808	26	41	2,875
貸家	73	588	4,617	5,278
給与住宅	12	6	135	152
分譲住宅	1,919	15	2,769	4,703
合計	4,812	635	7,562	13,008

その他 7%
戸建持家 22%
戸建型 36%
共同分譲 21%
戸建分譲 15%
共同貸家 35%
共同型 57%

注１：「給与住宅」とは、会社、官公署、学校等がその社員、職員、教員等を居住させる目的で建築するものをいう。
注２：着色部を、右図中の「その他」の住宅型に分類した。
注３：内訳の合計が一致しないのは、四捨五入の関係による。
資料：「建築着工統計調査」（国土交通省）を基に国土交通省国土政策局作成

図表1-10　距離圏別の住宅型ごとの着工戸数シェア（令和５(2023)年）

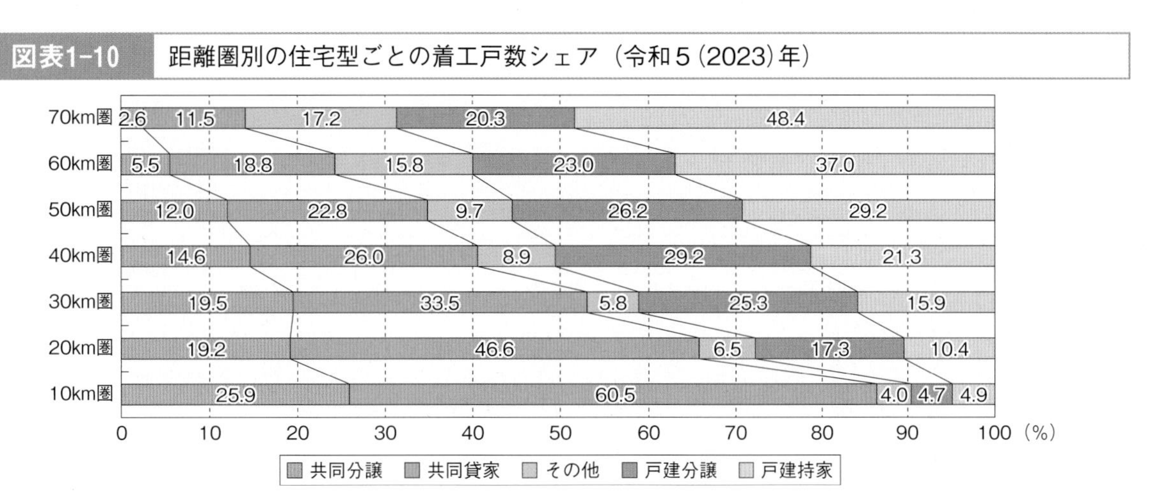

注　：内訳の合計が100%とならないのは、四捨五入の関係による。
資料：「建築着工統計調査」（国土交通省）を基に国土交通省国土政策局作成

（住宅床面積の変化）

近年の首都圏の一戸当たりの住宅床面積を見ると、戸建持家は、20km～70km圏域では概ね減少傾向、戸建分譲は、中心から遠ざかるほど減少の傾向が強くなっている。また、共同分譲は、平成25(2013)年と比較して全圏域において減少しており、特に20km～60km圏域では、10%以上減少している。共同貸家は、全圏域で他の住宅型に比べて住宅床面積は最も小さく、令和５(2023)年は45㎡/戸程度となっている（図表1-11）。

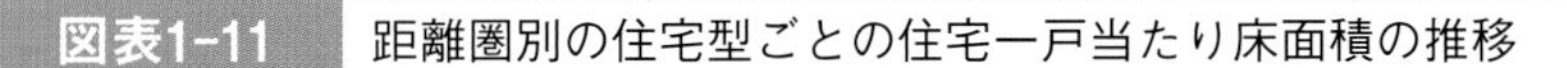
図表1-11　距離圏別の住宅型ごとの住宅一戸当たり床面積の推移

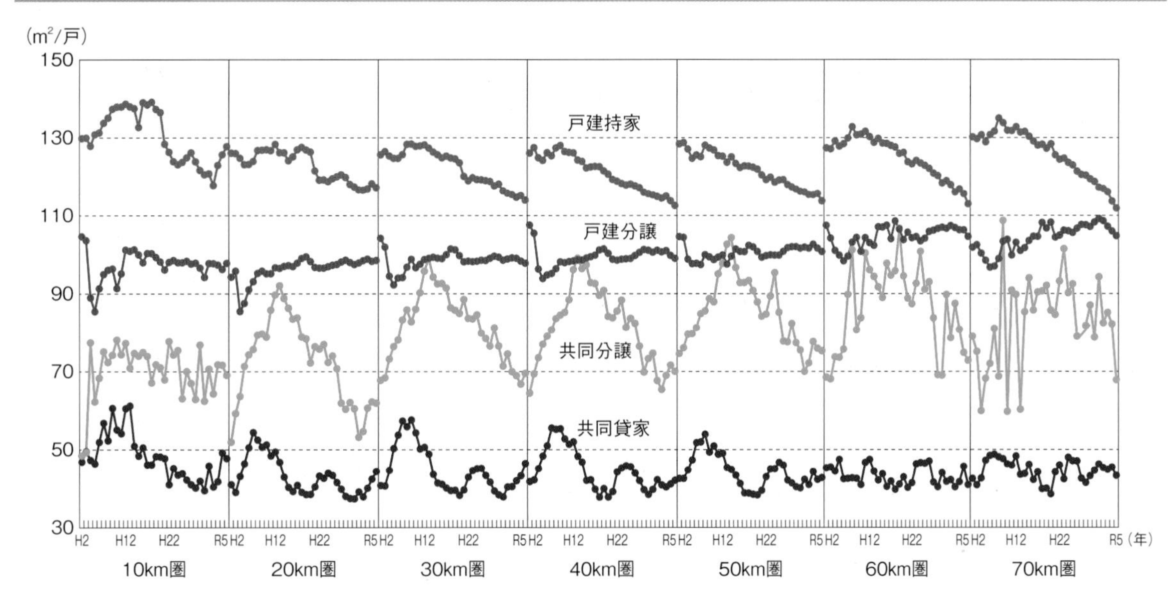

資料：「建築着工統計調査」（国土交通省）を基に国土交通省国土政策局作成

（分譲マンションの供給動向）

東京圏における分譲マンションの供給動向は、平成25(2013)年以降、概ね減少傾向が続いており、令和５(2023)年は前年比で約2.7千戸減少し、26.9千戸であった（図表1-12）。

図表1-12　東京圏における分譲マンション供給戸数の推移

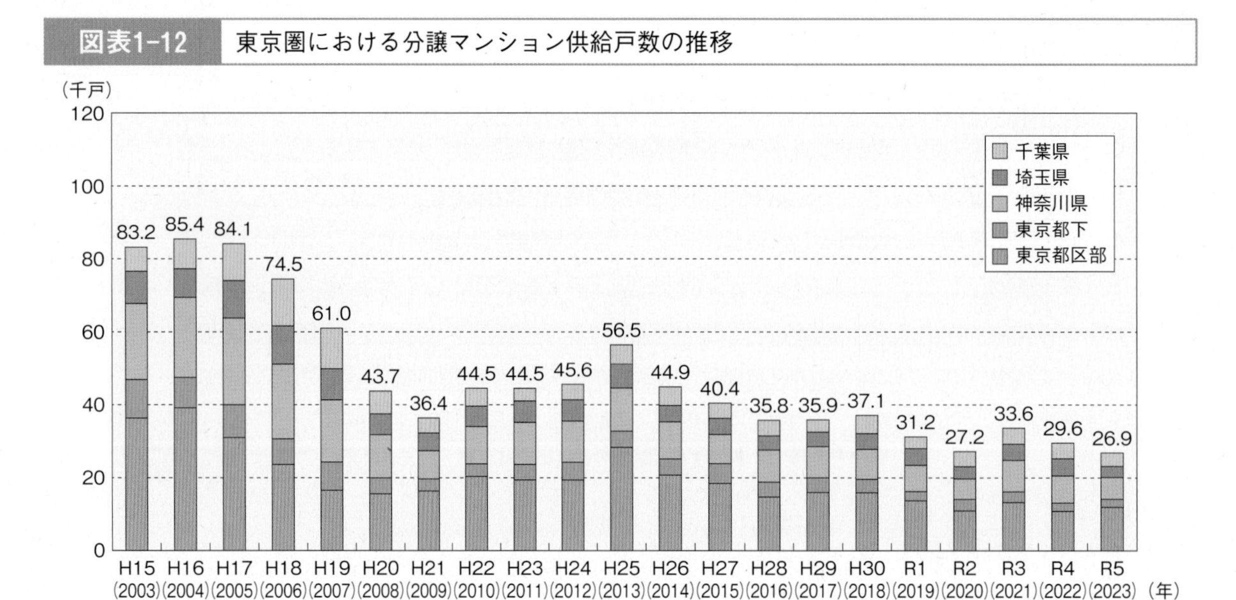

資料：株式会社不動産経済研究所資料（https://www.fudousankeizai.co.jp/mansion）を基に国土交通省国土政策局作成

東京圏・東京都区部における分譲マンションの平均販売価格・平均住戸面積の推移を見ると、令和5(2023)年における東京都区部の平均販売価格は前年を大幅に上回り、平均住戸面積は前年を上回った。また、東京圏の平均販売価格は前年より大幅に上昇したが、平均住戸面積は前年より僅かに減少した（図表1-13）。

図表1-13　東京圏・東京都区部の分譲マンション平均販売価格・平均住戸面積の推移

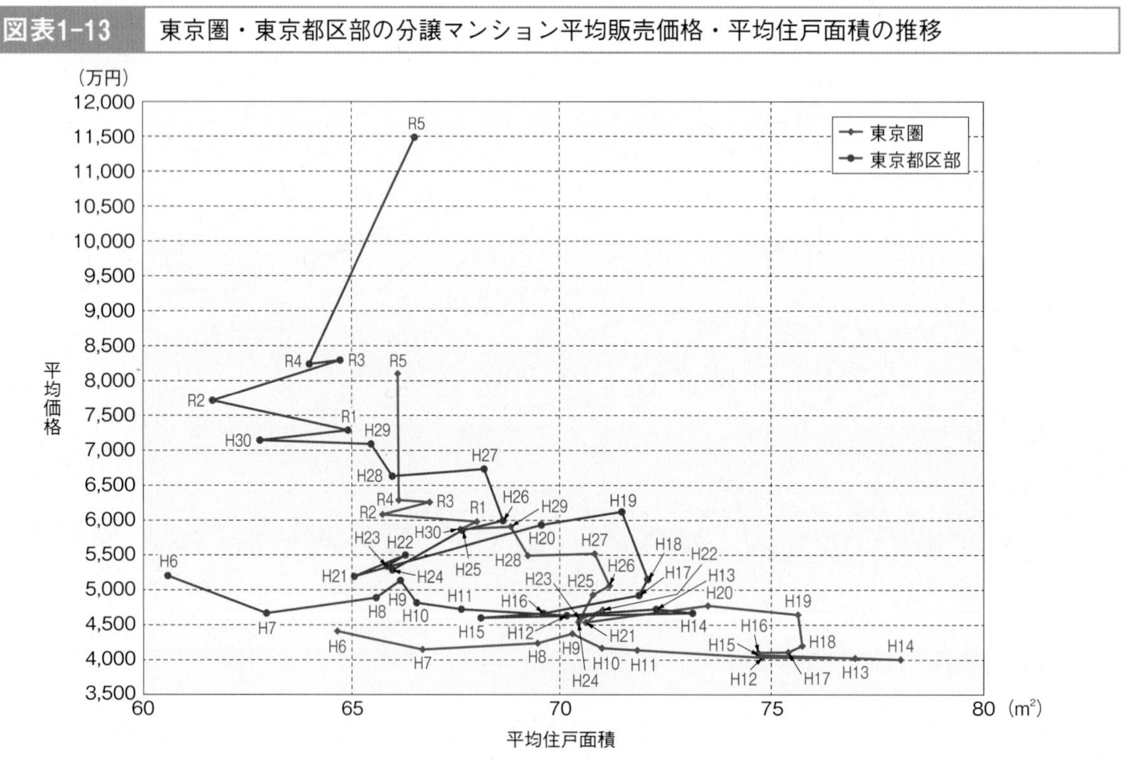

資料：「CRI」（株式会社長谷工総合研究所）を基に国土交通省国土政策局作成

また、今後、建築後相当の年数を経た分譲マンション等の急増が見込まれる中、マンションの建替え等の円滑化に関する法律（平成14年法律第78号）を活用した建替え事業は、首都圏で令和5(2023)年3月までに114件の実績となっている。

維持管理の適正化に当たっては、改正されたマンションの管理の適正化の推進に関する法律

（平成12年法律第149号）が令和４(2022)年４月に施行された。令和４(2022)年12月末時点のマンション管理適正化推進計画の作成状況について、同年度末までに作成済み又は作成予定と回答した首都圏の地方公共団体は、８都県及び154市区となっている。

また、東京都では、分譲マンションの管理不全を予防し適正な管理を促進するため、令和２(2020)年４月から「管理状況届出制度」を開始しており、届出義務のあるマンションの管理組合からの届出数は、令和５(2023)年３月末時点で約10,440件（約91％）となっている。

（高齢者向け住宅の供給状況）

高齢化が急速に進む中で、高齢の単身者や夫婦のみの世帯の居住の安定を確保することが重要な課題となっている。バリアフリー構造等を有し、介護・医療と連携して高齢者を支援するサービスを提供する「サービス付き高齢者向け住宅」の供給も進められ、首都圏の登録状況は増加傾向にあり、令和６(2024)年３月末時点で2,296棟、83,644戸が登録されている（図表1-14）。

図表1-14　サービス付き高齢者向け住宅の登録状況の推移

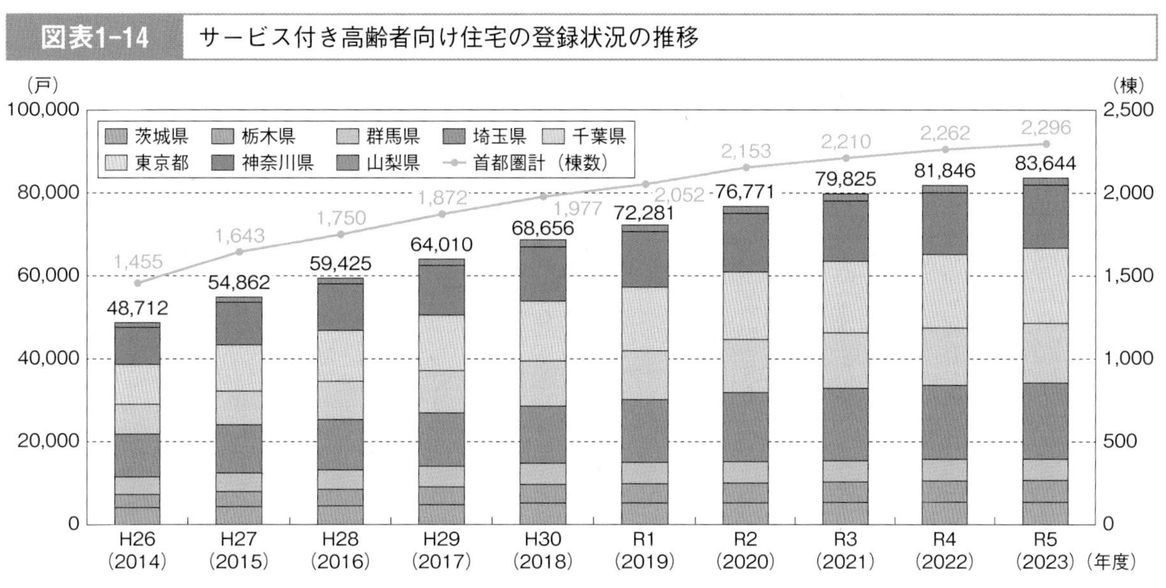

資料：「サービス付き高齢者向け住宅情報提供システム」（一般社団法人高齢者住宅協会）を基に国土交通省国土政策局作成

（２）居住環境の整備

（良好な都市景観の創出）

良好な景観形成への取組を総合的かつ体系的に推進するため制定された景観法（平成16年法律第110号）においては、景観行政団体[3]が景観計画を策定することができるとされており、首都圏では、190の景観行政団体のうち165団体が景観計画を策定している（令和４(2022)年度末時点）。

令和５(2023)年度の都市景観大賞（主催「都市景観の日」実行委員会）では、公共的空間と建物等が一体となって良質で優れた都市景観が形成され、市民に十分に活用されている地区を対象にした「都市空間部門」において、「流山おおたかの森駅前地区（千葉県流山市）」が優秀賞に選ばれた（図表1-15）。

3）政令指定都市・中核市及び都道府県と協議・同意した市町村。それ以外の地域では都道府県。

図表1-15　流山おおたかの森駅前地区の概要

流山おおたかの森は、2005年のつくばエクスプレス開業をきっかけに急速に発展した若い街である。当地区において、流山市と東神開発は、2007年の「流山おおたかの森Ｓ・Ｃ（ながれやまおおたかのもりショッピングセンター）」開業以降、多くの官民連携のまちづくりを実践している。

その特徴は、まちに点を打つように各事業を計画し、それらがまるで“しりとり”のように次事業へ影響しながら展開する、空間的にも時間的にもオープンエンドなまちづくりにある。

「木質・木調の外観デザイン」や「回遊性のある動線計画」、「地域性のある植栽計画」といった緩やかなコードが“しりとり”されることで各施設が自律しながらも共存可能な都市景観を形成している。

駅南口の最後の一区画であるFLAPS及び広場改修においても、上記のコードを引き受け、「木質の外部階段・デッキによる都市空間の回遊性向上」、「潜在植生による各階テラス・屋上の植栽計画」を施し、「山/谷」による新たな都市地形が実現した。

現在、ウォーカブル道路も計画が進んでおり、点在する施設群を回遊する動線の誕生で、さらなる賑わいが生まれることを目指している。

芝生広場から「FLAPS」をみる。北側の広場にも日差しを届けるセットバックした「山」型の建築形状により、明るいひだまりの広場が実現された。

資料：令和５年度都市景観大賞受賞概要　都市空間部門（「都市景観の日」実行委員会）

（教育・文化施設の整備）

学校は、児童生徒等の学習・生活の場であり、生涯学習活動や高齢者をはじめとする地域住民の交流など多様な活動の拠点であるとともに、災害時には避難所としての役割を果たしている。このため、新しい時代の学びを実現する学校施設の整備を推進するとともに、学校施設の耐震化や長寿命化の取組が推進されている。

また、人口減少等に伴う社会の要請の変化や多様なニーズに対応するため、地域の歴史や特色を活かした公民館、図書館、博物館等の機能強化・多様化や効果的な活用のあり方が検討されている。

（保健・医療・福祉施設の整備）

首都圏における医療施設について、人口10万人当たりで見ると、令和４(2022)年の施設数は144箇所となっており、全国平均の145箇所とほぼ同水準となっている一方、病院病床数では919床と全国平均の1,195床を大きく下回っており、特に、東京都は892床、近隣３県は860床とその傾向が顕著である（「医療施設調査」（厚生労働省））。

同様に首都圏における社会福祉施設等については、人口10万人当たりで見ると、令和４(2022)年の57箇所、定員数は3,137人と、全国平均の67箇所、3,533人を下回っている。そのうち老人福祉施設については、65歳以上人口10万人当たりで見ると、全国平均の14箇所、433人に対し、首都圏は11箇所、264人と大きく下回っている（「社会福祉施設等調査」（厚生労働省）、「人口推計」（総務省）を基に国土交通省国土政策局算出）。

（３）再開発等の推進

都市における土地の合理的かつ健全な高度利用や公共施設の整備改善等を図るため、土地区画整理事業、市街地再開発事業等の事業が進められている。平成30(2018)年度から令和４(2022)年度の５年間の推移を見ると、首都圏において土地区画整理事業地区数（施行済みの地区を含む。）は約2.0％増加し、市街地再開発事業地区数（施行済みの地区を含む。）は約19％増加している（図表1-16）。

図表1-16　再開発等事業地区数推移

	土地区画整理事業		市街地再開発事業	
	平成30(2018)年度	令和４(2022)年度	平成30(2018)年度	令和４(2022)年度
首都圏計	2,990	3,050	443	528
東京都	464	480	239	270
近隣３県	1,626	1,654	160	209
周辺４県	900	916	44	49

注　：各年度における調査時点は３月31日現在のもの。
資料：「都市計画現況調査」（国土交通省）を基に国土交通省国土政策局作成

今後のまちづくりにおいては、人口の急激な減少と高齢化を考慮し、医療・福祉施設、商業施設や住居等がまとまって立地し、高齢者をはじめとする住民が公共交通を活用してこれらの生活利便施設等にアクセスできるようにする「コンパクト＋ネットワーク」の考え方が重要となる。このため、平成26(2014)年に都市再生特別措置法（平成14年法律第22号）が改正され、行政と住民や民間事業者が一体となったコンパクトなまちづくりを促進するため、立地適正化計画制度が創設された。令和５(2023)年12月末時点で、全国で537の市町村、首都圏では116の市町村が立地適正化計画を作成・公表している（図表1-17）。

図表1-17　首都圏の立地適正化計画作成市町村（令和５(2023)年12月末）

茨城県	31	水戸市・日立市・土浦市・古河市・石岡市・結城市・龍ケ崎市・下妻市・常総市・常陸太田市・高萩市・笠間市・取手市・牛久市・つくば市・ひたちなか市・守谷市・常陸大宮市・那珂市・坂東市・かすみがうら市・神栖市・鉾田市・つくばみらい市・小美玉市・茨城町・大洗町・城里町・東海村・阿見町・境町
栃木県	15	宇都宮市・足利市・栃木市・佐野市・鹿沼市・日光市・小山市・真岡市・大田原市・矢板市・那須塩原市・下野市・益子町・茂木町・芳賀町
群馬県	13	前橋市・高崎市・桐生市・伊勢崎市・太田市・館林市・渋川市・藤岡市・富岡市・吉岡町・明和町・千代田町・邑楽町
埼玉県	25	川越市・熊谷市・秩父市・本庄市・東松山市・春日部市・深谷市・草加市・蕨市・戸田市・朝霞市・志木市・蓮田市・坂戸市・鶴ヶ島市・日高市・白岡市・毛呂山町・越生町・小川町・鳩山町・上里町・寄居町・宮代町・杉戸町
千葉県	12	千葉市・木更津市・松戸市・成田市・佐倉市・習志野市・柏市・市原市・流山市・君津市・酒々井町・栄町
東京都	4	八王子市・調布市・福生市・狛江市
神奈川県	12	相模原市・横須賀市・鎌倉市・藤沢市・小田原市・秦野市・厚木市・大和市・伊勢原市・海老名市・南足柄市・松田町
山梨県	4	甲府市・山梨市・大月市・上野原市
合計	116	

資料：国土交通省

３．産業機能の状況

（１）首都圏の経済状況

首都圏における県内総生産（名目）の合計は、平成23(2011)年度以降は概ね増加傾向にあるが、令和２(2020)年度は新型感染症の影響により減少し、いずれの圏域においても同様の傾向が見られる（図表1-18）。

図表1-18　県内総生産（名目）と全国シェア

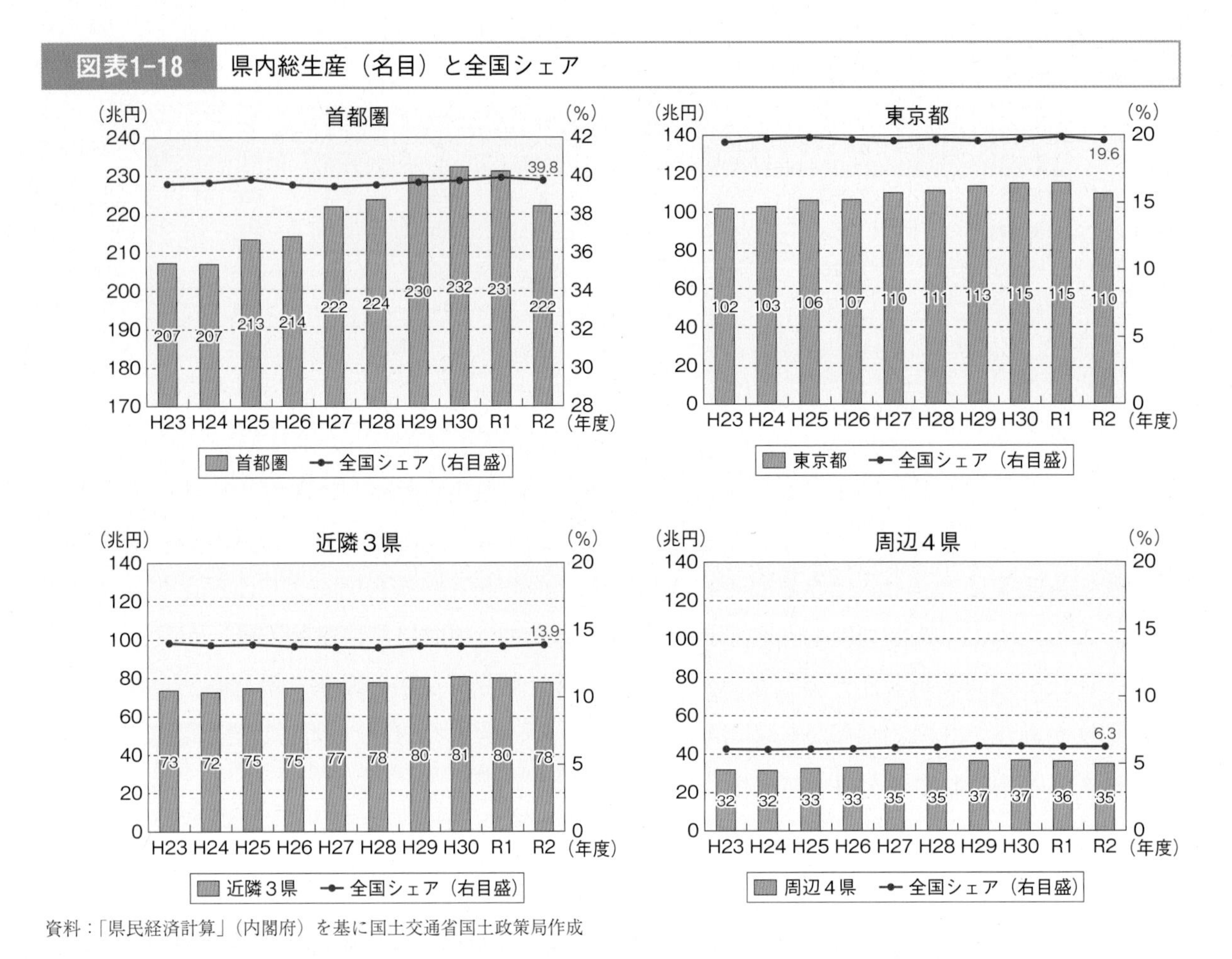

資料：「県民経済計算」（内閣府）を基に国土交通省国土政策局作成

　また、全国各都道府県の県内総生産（名目）の合計に対する首都圏のシェアは39.8％を占めており、特に東京都の割合が高く、首都圏のシェアの約半分を占めている。

　人口一人当たりの県内総生産（実質）の都道府県別の順位（令和２(2020)年度）を見ると、全国１位は東京都（760.6万円/人）であり、２位の愛知県（524.0万円/人）と比較しても、約1.5倍の高い水準にある（図表1-19）。一方、平成27(2015)年度から令和２(2020)年度までの間における東京都の人口増加率は全国１位と高いものの、県内総生産（実質）の成長率は29位、人口１人当たりの県民所得の伸び率は46位であり、人口増加に比べて経済成長は低い水準にある。

図表1-19　都道府県別1人当たり県内総生産（実質）、人口増加率、県内総生産（実質）成長率、1人当たり県民所得伸び率

1人当たり県内総生産（実質）（2020）（万円/人）		
1	東京都	760.6
2	愛知県	524.0
3	滋賀県	480.9
4	三重県	472.5
5	茨城県	471.9
⋮		
	全国	435.0

県内人口増加率（2015→2020）		
1	東京都	3.9%
2	沖縄県	2.4%
3	神奈川県	1.2%
4	埼玉県	1.1%
5	千葉県	1.0%
⋮		
	全国	−0.7%

県内総生産（実質）の成長率（2015→2020）		
1	滋賀県	7.9%
2	山形県	5.6%
3	山梨県	4.9%
4	福井県	4.3%
5	三重県	4.1%
⋮		
29	東京都	−3.0%
⋮		
	全国	−2.6%

1人当たり県民所得の伸び率（2015→2020）		
1	山形県	7.7%
2	山梨県	5.6%
3	秋田県	5.2%
4	熊本県	2.8%
5	福井県	2.7%
⋮		
46	東京都	−10.7%
	全国	−4.6%

資料：「県民経済計算」（内閣府）を基に国土交通省国土政策局作成

（2）首都圏のビジネス環境等

（オフィスの需給動向）

東京都区部の賃貸オフィスビルの空室率を見ると、令和元(2019)年までは企業の業績回復等に伴い低下する傾向にあった（図表1-20）。特に平成30(2018)年、令和元(2019)年は1％を切るなど非常に低い状況にあったが、新型感染症の感染拡大に伴うテレワーク拡大によるオフィス面積の見直し等の影響もあり、令和2(2020)年より上昇に転じ、令和5(2023)年は令和4(2022)年と同水準の4.7％となった。

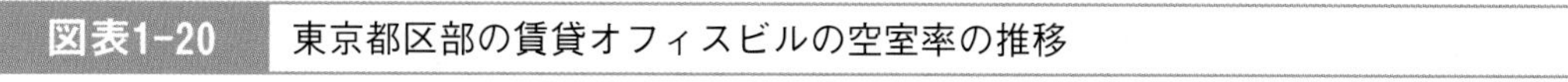
図表1-20　東京都区部の賃貸オフィスビルの空室率の推移

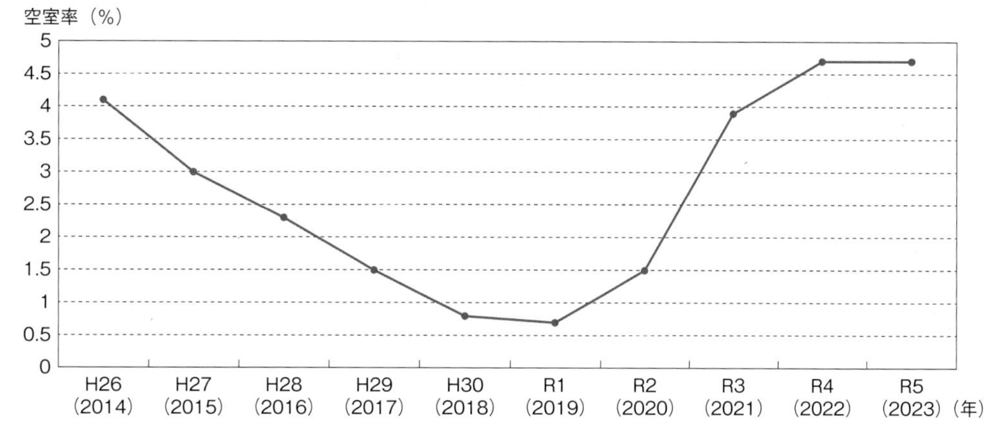

注　：各年第4四半期時点
資料：シービーアールイー株式会社資料を基に国土交通省国土政策局作成

（内国法人の立地状況）

資本金1億円以上の普通法人（内国法人（国内に本店又は主たる事務所を有する法人）のうち、公共法人、公益法人等、協同組合等、人格なき社団等以外の法人）の立地状況を見ると、首都圏が17,964社で全国（29,877社）の60.1％を占め、特に、東京都が14,495社と全国の48.5％を占めている（図表1-21）。また、資本金10億円超の普通法人の立地状況を見ると、首都圏が3,078社で全国（4,686社）の65.7％を占め、特に、東京都が2,665社と全国の56.9％を占めており、東

京都に立地が集中している状況がわかる。

図表1-21　普通法人数（令和３(2021)年度）

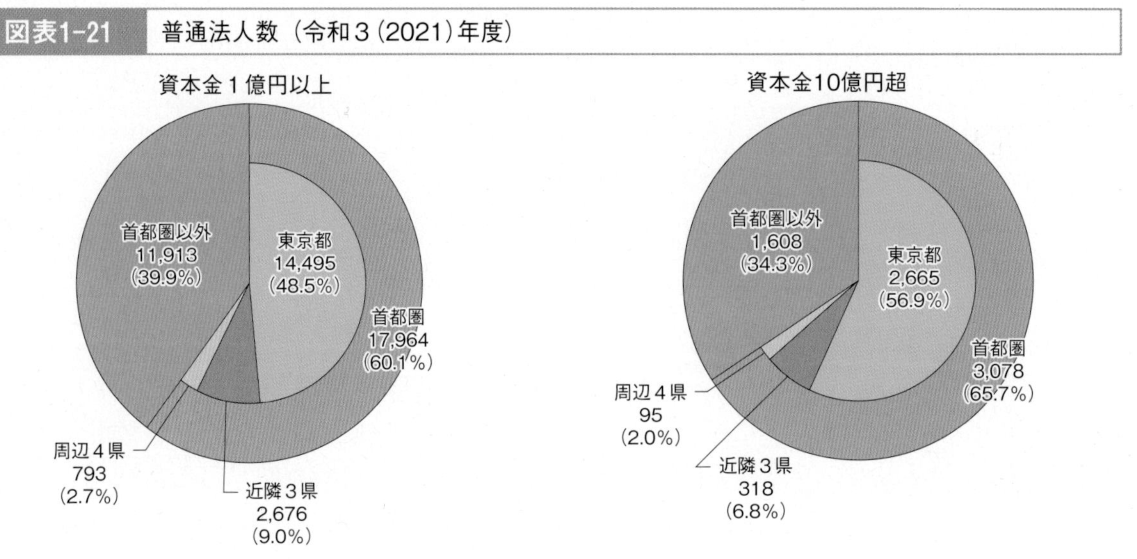

資料：「国税庁統計年報」（国税庁）を基に国土交通省国土政策局作成

(外資系企業の立地状況)

外資系企業の我が国における本社の立地状況を見ると、令和４(2022)年度末には全国の3,152社の約89%に当たる2,793社が首都圏に立地しており、高い割合を占めている（図表1-22)。このうち東京都が占める割合は非常に高く、首都圏に立地する外資系企業の約85%に当たる2,374社が東京都に所在している。

以上のように、内国法人、外資系企業ともに、その立地が東京都に集積している状況を踏まえ、平成27(2015)年度には、東京23区からの企業の本社機能の移転や、地方での企業の本社機能の拡充を促進する「地方拠点強化税制」が創設され、令和６(2024)年３月15日までに684件（内訳 移転型事業70件、拡充型事業614件）の事業が認定を受けている。本税制については、令和６(2024)年度税制改正において、制度の適用期限が令和８(2026)年３月末まで２年間延長されるとともに、適用要件の緩和等（子育て施設の対象への追加等）の拡充等が行われている。

図表1-22　外資系企業数の推移

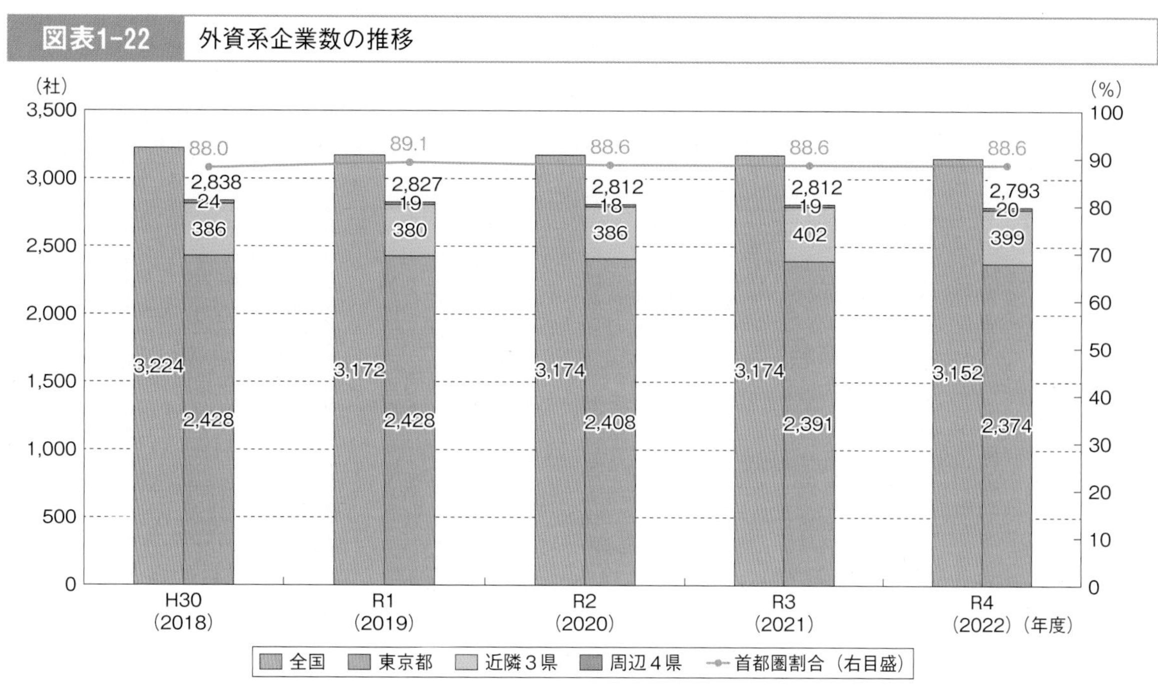

注　：数値は原則資本金5,000万円以上かつ外資の比率が49％以上の企業数
資料：「外資系企業総覧」（株式会社東洋経済新報社）を基に国土交通省国土政策局作成

（外国人労働者の動向）

首都圏における外国人労働者数は近年継続して増加している。令和５(2023)年には約99万人となっており、そのうち東京都が５割以上を占めている。また、全国の外国人労働者数のうち、首都圏の占める割合は、近年、５割程度で推移している（図表1-23）

図表1-23　外国人労働者数の推移

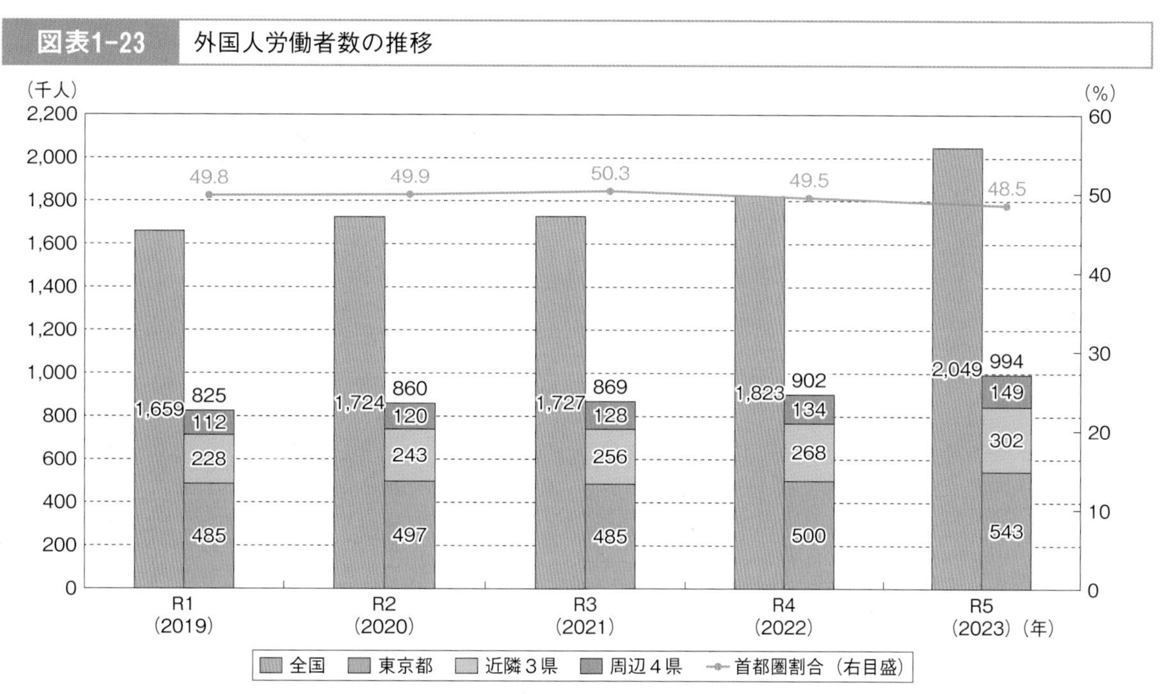

注　：各年の数値は10月末時点
資料：「「外国人雇用状況」の届出状況まとめ」（厚生労働省）を基に国土交通省国土政策局作成

（イノベーションの動向）

都市のイノベーション創出環境に関する指標と考えられるスタートアップ企業の資金調達状況を見ると、東京都の企業の状況は令和４(2022)年までは概ね増加傾向にあったが、令和５

(2023)年は前年から減少し、調達額は5,945億円となっている（図表1-24）。なお、全国に占める割合は東京都の企業が約８割を占めている。

図表1-24　スタートアップ企業の資金調達金額及び全国の１企業当たりの資金調達金額の推移

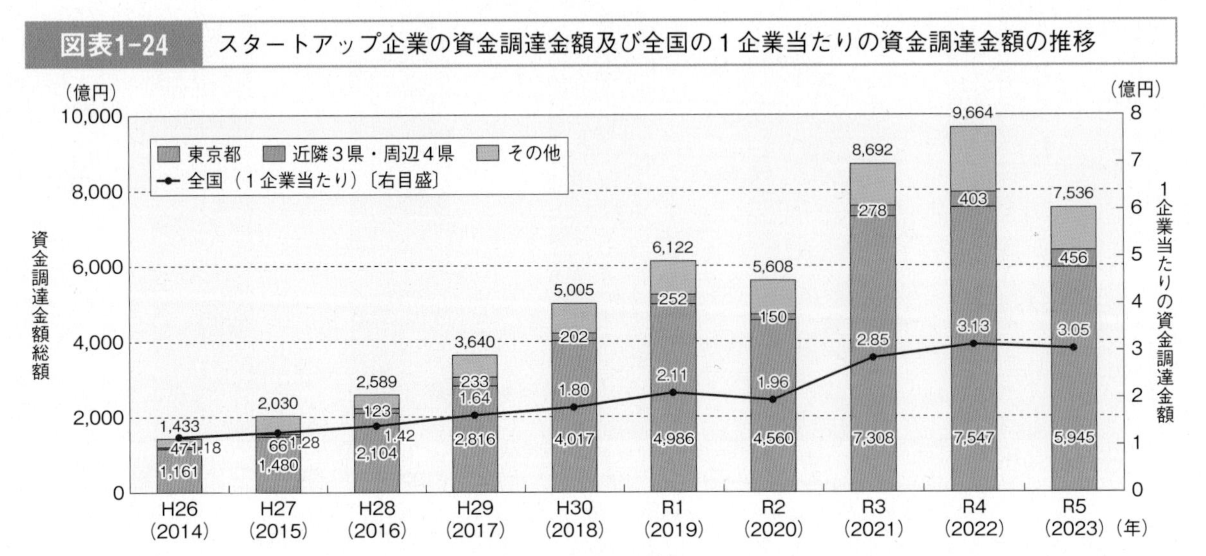

注１：各年の値は、集計時点（令和６年１月23日）までに観測されたものが対象
注２：データの特性上、調査進行により過去含めて数値が変動する。調査進行による影響は金額が小さい案件ほど受けやすく、直近年ほど受けやすい。
資料：INITIAL、「2023年Japan Startup Finance―国内スタートアップ資金調達動向決定版―」を基に国土交通省国土政策局作成

（国際会議の開催状況）

国際会議の開催件数は、新型感染症の影響を受けて令和２(2020)年に全国的に大きく減少した。首都圏においても令和２(2020)年に大幅に減少しており、令和４(2022)年は前年から増加したものの、令和元(2019)年の２割程度に留まっている（図表1-25）。首都圏における国際会議の参加者数も令和２(2020)年は大幅に減少し、令和４(2022)年は前年から増加したが、令和元(2019)年の２割程度に留まっている（図表1-26）。

図表1-25　国際会議開催件数の推移

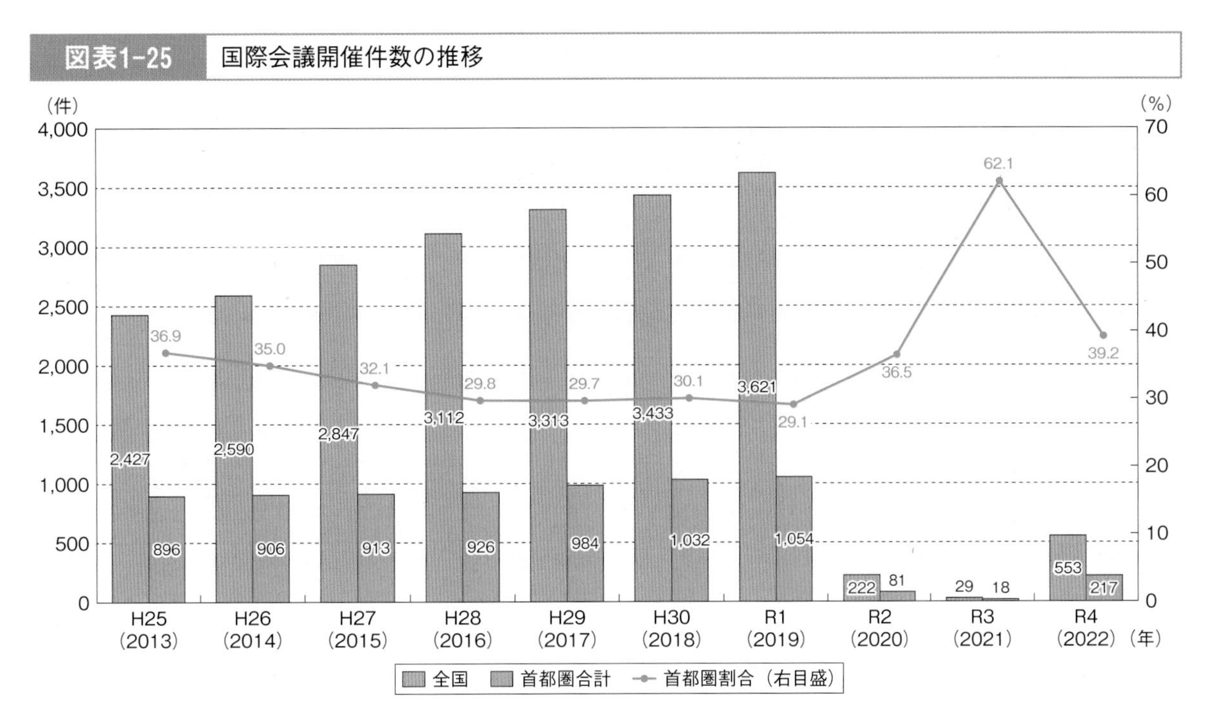

図表1-26　国際会議参加者内訳

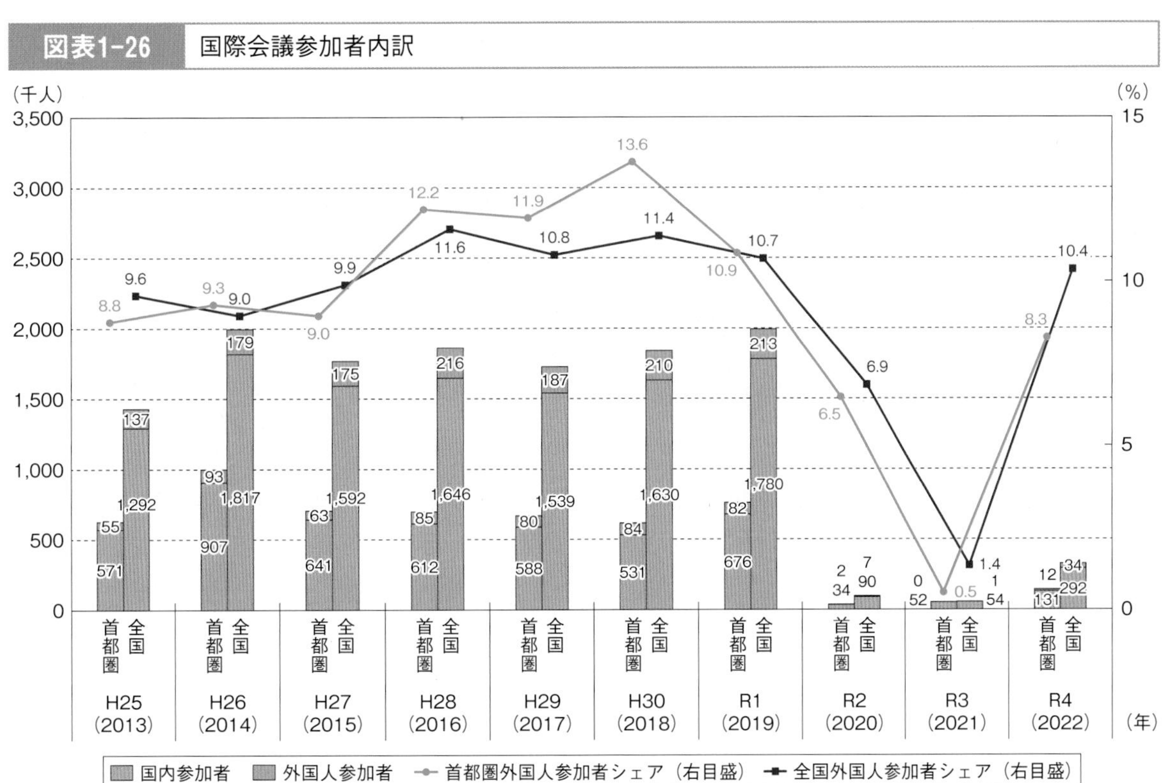

注1：国際会議の選定基準は、国際機関・国際団体（各国支部を含む）又は国家機関・国内団体（各々の定義が明確ではないため民間企業以外は全て）が主催する会議で参加者総数が50名以上、参加国が日本を含む3カ国以上及び開催期間が1日以上のものをいう。
注2：外国人参加者数には、会議出席を目的に来日した会議代表、オブザーバー、同伴家族を含む。
ただし、報道関係者、在日外国人（留学生を含む）は含めない。
注3：1つの会議が複数の都市にまたがって開催された場合、それぞれの都市に計上しているため、参加者数は、実際の参加者数の総数よりも多くなっている場合がある。
資料：「JNTO国際会議統計」（日本政府観光局）を基に国土交通省国土政策局作成

（大学・大学院の動向）

首都圏における大学・大学院の動向について見ると、令和5(2023)年度の大学・大学院数は274校となっている（図表1-27）。また、大学・大学院学生数は前年度から9,575人増となっており、特に東京都では8,000人以上増加している。

図表1-27　大学・大学院数及び学生数（令和5(2023)年度）

	大学・大学院数		大学・大学院学生数	
	実数（校）	対前年増減	実数（人）	対前年増減
全国	810	3	2,945,599	14,819
首都圏合計	274	3	1,302,756	9,575
茨城県	11	0	36,144	123
栃木県	9	0	23,251	196
群馬県	15	0	30,593	−310
埼玉県	28	1	112,757	−1,078
千葉県	27	0	119,099	−301
東京都	144	0	775,005	8,457
神奈川県	33	2	188,900	2,654
山梨県	7	0	17,007	−166

注1：「大学・大学院数」については、大学本部の所在地による。
注2：「大学・大学院学生数」については、在籍する学部・研究科等の所在地による。
資料：「学校基本調査報告書（高等教育機関）」（文部科学省）を基に国土交通省国土政策局作成

東京23区内の大学等の学生の収容定員増が進むと、東京一極集中の加速化等が懸念されることから、地域における大学の振興及び若者の雇用機会の創出による若者の修学及び就業の促進に関する法律（平成30年法律第37号）に基づき、平成30(2018)年10月から令和10(2028)年３月までの間、東京23区内の大学等の学部等について、スクラップアンドビルドによる新たな学部等の設置等の例外的な場合を除き、学生の収容定員を増加させてはならないこととされている。

一方で、同法附則の規定に基づき見直しが行われ、令和５年６月には「特定地域内学部収容定員の抑制等に関する命令」を一部改正し、東京23区内の定員増加抑制について、産業界からのニーズが極めて高い高度なデジタル人材を育成する情報系学部・学科に限定し、一定の要件のもと、限定的な例外措置が設けられた。

（3）首都圏における各産業の動向

（製造業の動向）

令和４(2022)年における首都圏の製造業の動向について見ると、事業所数は62,791件で全国の28.2％、従業者数は約199万人で全国の25.8％であり、それぞれの全国シェアは、首都圏の人口の全国シェア（35.5％）よりも、いずれも低い状況となっている（図表1-28）。ただし、周辺４県においては、事業所数、従業者数のいずれも、各県の人口の全国シェアを超える状況となっている。

図表1-28　製造業の事業所数等

	事業所数（R4）		従業者数（R4）		製造品出荷額等（R3）		人口（R4）	
	実数（件）	全国シェア（%）	実数（人）	全国シェア（%）	金額（百万円）	全国シェア（%）	実数（千人）	全国シェア（%）
全国	222,770	100.0	7,714,495	100.0	330,220,006	100.0	124,947	100.0
首都圏合計	62,791	28.2	1,993,160	25.8	85,705,890	26.0	44,337	35.5
茨城県	5,692	2.6	275,475	3.6	13,686,852	4.1	2,840	2.3
栃木県	4,838	2.2	200,176	2.6	8,576,125	2.6	1,909	1.5
群馬県	5,702	2.6	218,619	2.8	8,383,147	2.5	1,913	1.5
埼玉県	13,216	5.9	389,587	5.1	14,254,002	4.3	7,337	5.9
千葉県	5,914	2.7	208,423	2.7	13,096,789	4.0	6,266	5.0
東京都	15,416	6.9	268,401	3.5	7,622,691	2.3	14,038	11.2
神奈川県	9,915	4.5	358,626	4.6	17,375,178	5.3	9,232	7.4
山梨県	2,098	0.9	73,853	1.0	2,711,106	0.8	802	0.6

注１：個人経営を除く事業所
注２：事業所数、従業者数は令和４(2022)年６月１日時点、製造品出荷額等は令和３(2021)年１月～12月実績
注３：人口は令和４(2022)年10月１日時点
資料：「経済構造実態調査（製造業事業所調査）」（総務省・経済産業省）、「人口推計」（総務省）を基に国土交通省国土政策局作成

（第３次産業の動向）

首都圏の圏域総生産（名目）に占める第３次産業のシェアを見ると、令和２(2020)年度において全体の78.9%と大きなウエイトを占めている（図表1-29）。このうち、卸売・小売業が圏域総生産の15.1%を占めており、また、前年度と比較すると、不動産業、情報通信業などのシェアが増加している。

図表1-29　首都圏の圏域総生産（名目）における第３次産業のシェア

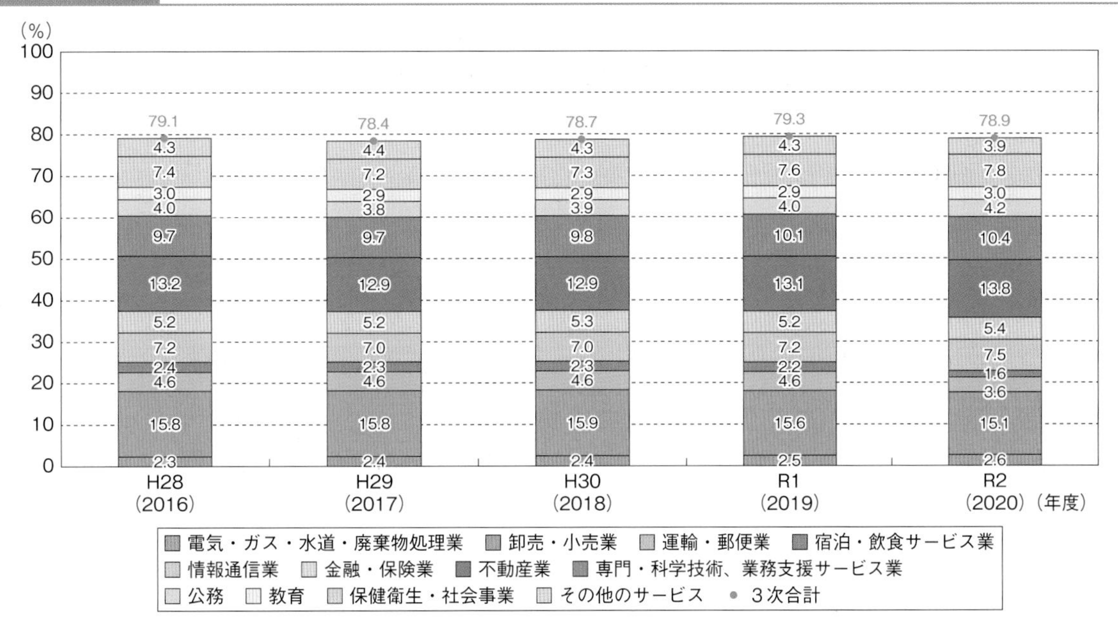

資料：「県民経済計算」（内閣府）を基に国土交通省国土政策局作成

（物流拠点の整備状況）

東京圏には、成田国際空港、東京国際空港（羽田空港）、京浜港など我が国を代表する広域物流拠点が存在している。後背圏には大きな人口・産業を抱えており、これらの広域物流拠点に加え、高規格道路をはじめとした道路網の沿線等では、大型マルチテナント型物流施設の整備も見られている。

東京圏を中心とした大型マルチテナント型物流施設では、電子商取引（EC）の需要が高ま

る中、令和２(2020)年の空室率は0.5％程度と低い状況にあったが、令和３(2021)年以降は、大型物件の竣工等により上昇に転じ、令和５(2023)年の第４四半期においては９％台となった（図表1-30）。

図表1-30　東京圏を中心とした大型マルチテナント型物流施設の空室率の推移

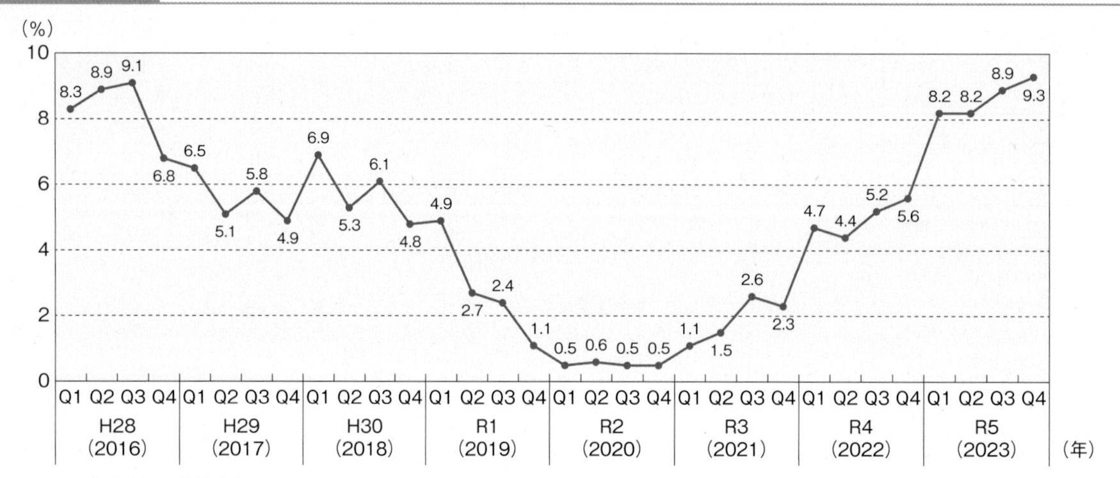

注１：Q1～Q4は各年４半期時点
注２：ここでいう東京圏は、埼玉県、千葉県、東京都、神奈川県、茨城県の１都４県
資料：シービーアールイー株式会社資料を基に国土交通省国土政策局作成

（農業の動向）

首都圏の農業は、世界最大規模の消費地に近いという優位性があり、令和４(2022)年において、茨城県は全国３位と、全国有数の農業産出額となっている。また、同年の首都圏全体の農業産出額は全国の約２割程度を占め（図表1-31）、野菜は、東京都中央卸売市場に集まる野菜総取扱高の約４割（令和５(2023)年）を産出しており、大消費地への新鮮で安全な農産物の供給という重要な役割を果たしている。しかしながら、都市化の影響を受け、耕地面積は漸減傾向にあり（図表1-32）、食料の安定供給に向けて限りある農地を有効に利用するため、荒廃農地の再生利用に向けた取組が実施されている。首都圏では、再生利用可能な荒廃農地が令和４(2022)年度は約2.1万haにのぼる中、2,264haの荒廃農地が再生利用されている[4)]。

図表1-31　農業産出額の推移

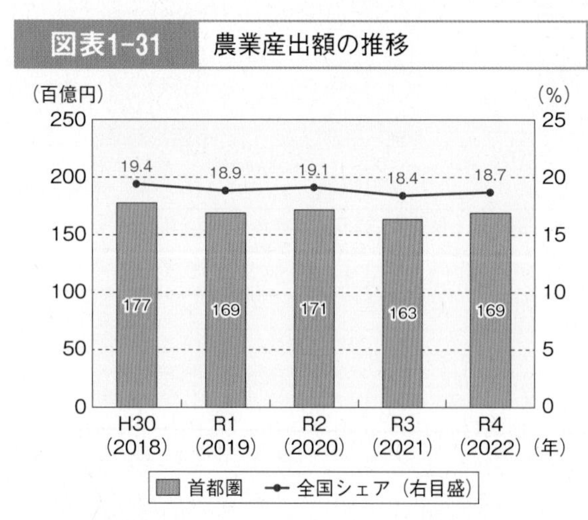

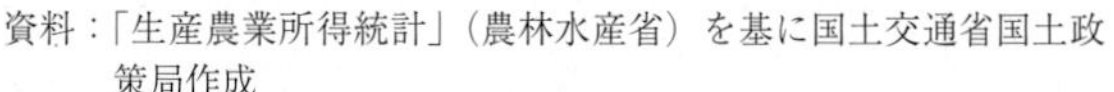
資料：「生産農業所得統計」（農林水産省）を基に国土交通省国土政策局作成

図表1-32　耕地面積の推移

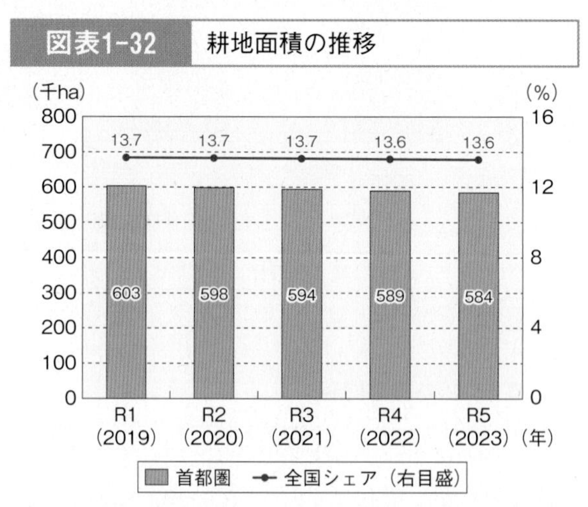

資料：「耕地及び作付面積統計」（農林水産省）を基に国土交通省国土政策局作成

4)「令和４年度の荒廃農地面積について」（農林水産省）を基に国土交通省国土政策局算出

（林業の動向）

首都圏の林業は、令和４（2022）年の林業産出額が約360億円で全国の約７％となっており、なかでも茨城県、栃木県、群馬県の３県で首都圏全体の約80％を産出している（図表1-33）。

首都圏では、茨城県、栃木県、群馬県、神奈川県、山梨県において、森林の整備を主な目的とした各県独自の税制が導入されており、公益的機能を発揮する森づくり等が進められている。

図表1-33　林業産出額の推移

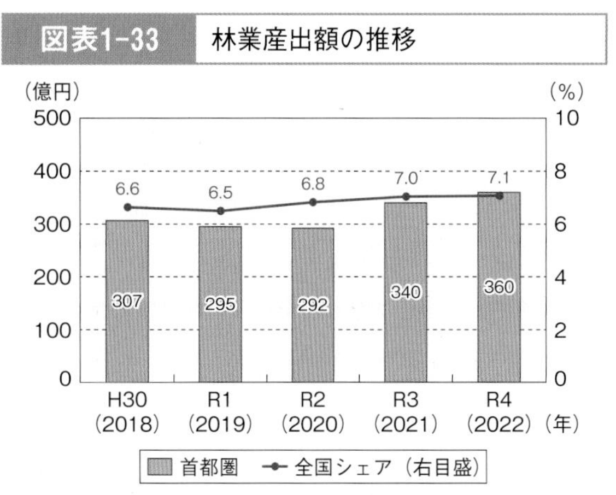

資料：「林業産出額」（農林水産省）を基に国土交通省国土政策局作成

（水産業の動向）

首都圏の水産業は、令和４（2022）年の漁業産出額（海面漁業・養殖業）が約703億円であり、前年に比べて約41億円の増加となっている[5)]。

（中央卸売市場の動向）

首都圏は、我が国最大の生鮮食料品等の消費地である。卸売市場は、消費者ニーズの多様化や大型需要者ニーズの増大等に応え、生鮮食料品等を安定的に供給していく役割を担っている。農林水産省は、改正された卸売市場法（昭和46年法律第35号）の施行（令和２（2020）年６月）にあわせて、同法に基づく新たな基本方針に即した生鮮食品等の公正な取引の場として、首都圏の16市場を中央卸売市場に認定し、各市場において流通の効率化や国内外の需要への対応等の観点から整備が進められている。

４．女性・高齢者等の社会への参加可能性を開花させる環境づくり

（１）女性の活躍の促進

我が国の女性の労働力率は、結婚・出産を機に減少する緩やかなM字カーブを描いていたが、近年は先進諸国で見られる台形に近づきつつある。関東甲信地方における令和５（2023）年の女性の労働力率は、平成26（2014）年と比べて全年齢階層で上昇しており、M字カーブの谷となる35～44歳の労働参加率も79.6％と上昇している（図表1-34）。また、国内では、女性の正規雇用率が20代後半から30代前半でピークを迎えた後、低下が見られるという課題もあり、関東甲信地方においても同様の傾向が見られている。

5）「令和４年漁業産出額」（農林水産省）を基に国土交通省国土政策局算定

図表1-34　関東甲信地方の年齢階層別の女性の労働力率及び正規雇用率

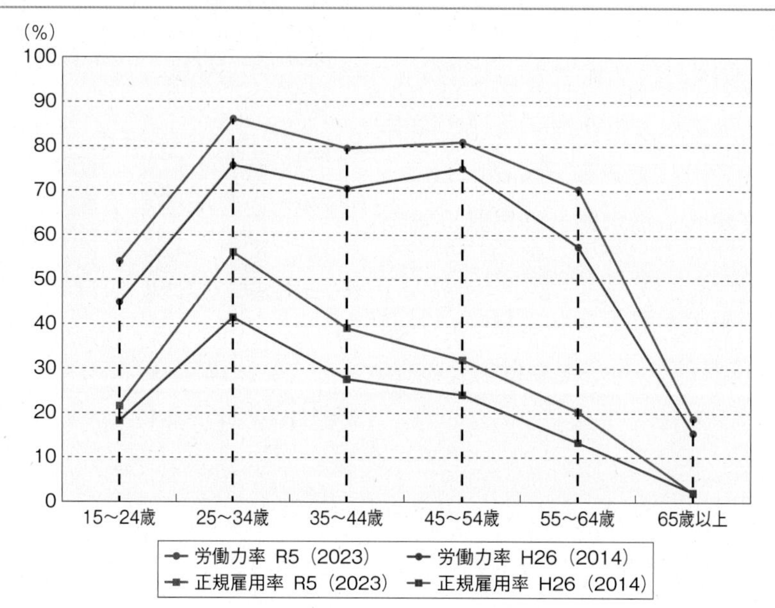

注　：関東甲信地方は埼玉県、千葉県、東京都、神奈川県、茨城県、栃木県、群馬県、山梨県、長野県を含む。
資料：「労働力調査」（総務省）を基に国土交通省国土政策局作成

一方、首都圏の令和５(2023)年の保育所等施設数は約1.4万箇所で、利用定員数は約99万人となっており、保育の受皿の整備が進んでいる（図表1-35）。また、令和５(2023)年の待機児童は、首都圏では約1.0千人と前年より減少しており、東京都では、平成31(2019)年から令和５(2023)年にかけて９割以上減少している（図表1-36）。

図表1-35　保育所等施設数及び利用定員数（各年４月１日時点）

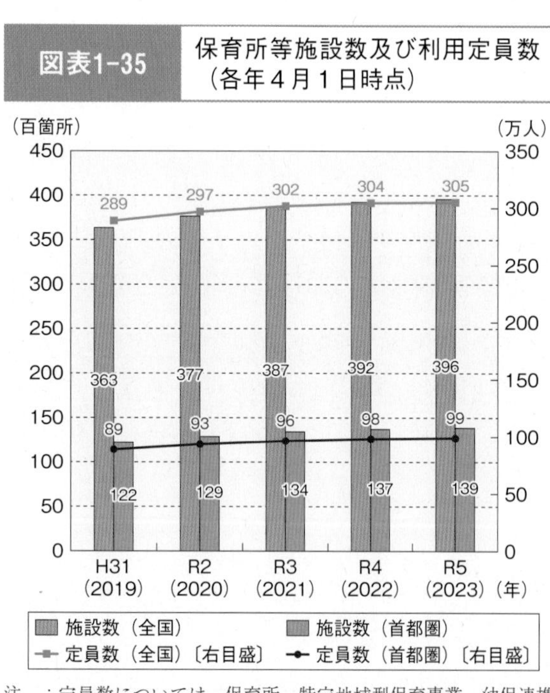

注　：定員数については、保育所、特定地域型保育事業、幼保連携型認定こども園、幼稚園型認定こども園、地方裁量型認定こども園の利用定員を集計している。
資料：「保育所等関連状況取りまとめ」（こども家庭庁）を基に国土交通省国土政策局作成

図表1-36　待機児童数及び全国シェアの推移（各年４月１日時点）

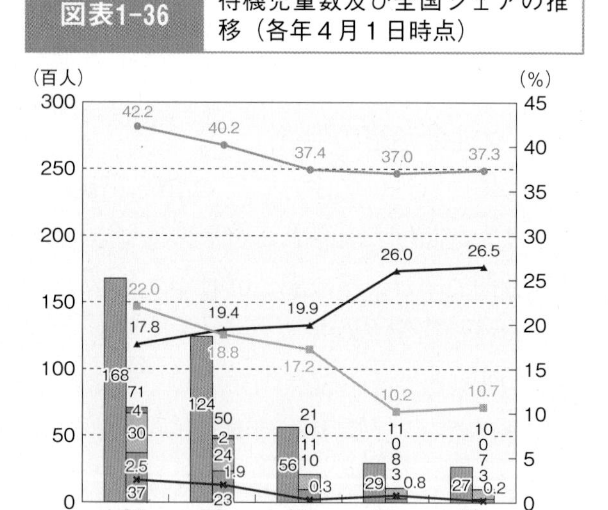

資料：「保育所等関連状況取りまとめ」（こども家庭庁）を基に国土交通省国土政策局作成

（2）高齢者参画社会の構築、障害者の活躍促進及びユニバーサル社会の実現

高齢者、障害者等の移動等の円滑化の促進に関する法律（平成18年法律第91号。以下「バリアフリー法」という。）に基づき、市区町村は、旅客施設を中心とした地区や高齢者、障害者等が利用する施設が集まった地区において面的・一体的なバリアフリー化の方針を示す移動等円滑化促進方針（以下「マスタープラン」という。）及び同様の地区における旅客施設、建築物、道路、路外駐車場、都市公園、信号機等のバリアフリー化に関する事業等を記載した基本構想を作成するよう努めることとされている。

令和２(2020)年にとりまとめられたバリアフリー法に基づく整備目標（令和７(2025)年度までの概ね５年間）では、ハード・ソフト両面でのバリアフリー化をより一層推進していく観点から、地方部を含めたバリアフリー化や聴覚障害及び知的・精神・発達障害に係るバリアフリー、マスタープラン・基本構想の作成、「心のバリアフリー」の推進に留意されている。首都圏においては、令和４(2022)年度末時点で、マスタープランについては９市区、基本構想については首都圏の市区町村の約28％にあたる97市区町が作成しており、整備目標の達成に向け、ハード・ソフト両面でのバリアフリー化に取り組んでいる（図表1-37）。

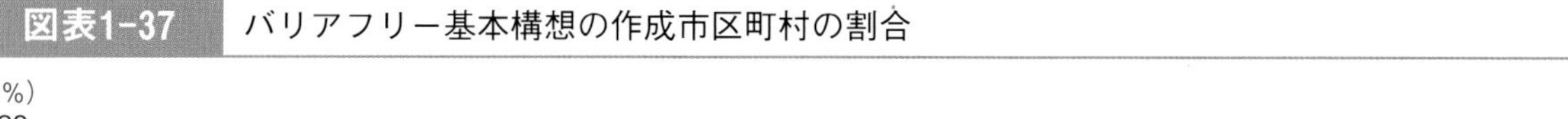
図表1-37　バリアフリー基本構想の作成市区町村の割合

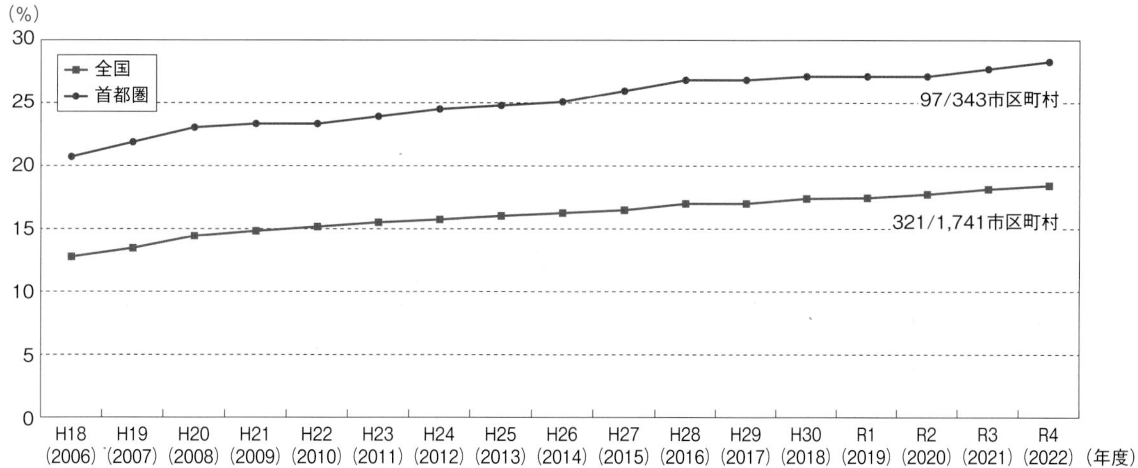

注１：バリアフリー法の施行日（平成18(2006)年12月20日）以前は、旧交通バリアフリー法に基づく基本構想の作成市区町村数による。
注２：市区町村割合は、平成30(2018)年10月１日時点の市区町村数で計算している。
資料：「基本構想作成市町村一覧」（国土交通省）を基に国土交通省国土政策局作成

第2節 確固たる安全、安心の実現に向けた基礎的防災力の強化

1．巨大災害対策

（1）防災体制の構築

（首都直下地震対策特別措置法に基づく取組状況）

首都直下地震対策特別措置法（平成25年法律第88号）に基づき、「政府業務継続計画（首都直下地震対策）」（平成26年３月）及び「首都直下地震緊急対策推進基本計画[1]」（以下「基本計画」という。）（平成27年３月）が閣議決定されている（図表2-1）。基本計画には、定量的な減災目標として、平成27(2015)年度から今後10年間で、想定される最大の死者数を約２万３千人から概ね半減、想定される最大の建物全壊・焼失棟数を約61万棟から概ね半減させることが掲げられている。

図表2-1　首都直下地震緊急対策推進基本計画の概要

首都直下地震緊急対策推進基本計画の概要

1．緊急対策区域における緊急対策の円滑かつ迅速な推進の意義に関する事項

○ 首都中枢機能の継続性の確保は必要不可欠
・首都中枢機能の障害は災害応急対策に大きな支障を来すおそれ
・加えて、我が国全体の国民生活や経済活動にも支障が生じるおそれ

○ 予防対策・応急対策で被害を大きく減少させることが可能
・耐震化率100%で全壊棟数・死者数が約９割減、感震ブレーカー等の設置や初期消火成功率の向上等で焼失棟数・死者数が９割以上減
→ 予防対策・応急対策の計画的・戦略的実施

2．緊急対策区域における緊急対策の円滑かつ迅速な推進のために政府が着実に実施すべき施策に関する基本的な方針

(1)首都中枢機能の確保
・首都中枢機関の業務継続体制の構築
・首都中枢機能を支えるライフライン及びインフラの維持
(2)膨大な人的・物的被害への対応
・あらゆる対策の大前提としての耐震化と火災対策、深刻な道路交通麻痺対策等、膨大な数の避難者・帰宅困難者等
(3)地方公共団体への支援等
・国は、調査研究成果を始めとする各種情報の提供、助言等を実施
(4)社会全体での首都直下地震対策の推進
・社会のあらゆる構成員が連携した「自助」「共助」「公助」による被害の軽減に向けた備え
(5)2020年オリンピック・パラリンピック東京大会に向けた対応
・外国人観光客の避難誘導対策など安心して大会に参加・観戦できるよう取組強化

3．首都直下地震が発生した場合における首都中枢機能の維持に関する事項

(1)首都中枢機能の維持を図るための施策に関する基本的な事項
・首都中枢機能及び首都中枢機関　～ 政治中枢：国会、行政中枢：中央省庁・都庁・駐日外国公館等、経済中枢：中央銀行・企業本社等
・首都中枢機関の機能目標　～発災直後においても最低限果たすべき機能目標を設定
・政府全体としての業務継続体制の構築：非常時優先業務の実施に必要な執行体制、執務環境の確保について緊急対策実施計画に定める。
・金融決済機能の継続性の確保、企業本社等における事業継続への備え
(2)首都中枢機能の全部又は一部を維持することが困難となった場合における当該中枢機能の一時的な代替に関する基本的な事項
・政府の代替拠点の検討、代替庁舎の確保等
(3)ライフライン及びインフラの維持に係る施策に関する基本的な事項
・ライフライン及び情報通信インフラの機能目標　・施設の耐震化・多重化や早期復旧体制の整備等
(4)緊急輸送を確保する等のために必要な港湾、空港等の機能の維持に係る施策に関する基本的な事項
・交通インフラの機能目標　・施設の耐震化や早期の道路啓開、復旧体制の整備等
(5)その他　・各主体が業務継続計画を作成・見直し

4．5．6．法に基づく各種計画に係る事項

4．首都中枢機能維持基盤整備等地区の指定及び基盤整備等計画の認定に関する基本的な事項
・首都中枢機能維持基盤整備等地区指定の考え方（首都中枢機関の集積状況等を勘案）※別添参照
・地方公共団体が作成する基盤整備等計画の認定基準
5．地方緊急対策実施計画の基本となるべき事項
・都県知事が作成する地方緊急対策実施計画に記載すべき地震防災対策、災害応急対策・災害復旧への備え、住民の協働等の対策 等
6．特定緊急対策事業推進計画の認定に関する基本的な事項
・地方公共団体が作成する特定緊急対策事業推進計画の認定基準

7．緊急対策区域における緊急対策の円滑かつ迅速な推進に関し政府が講ずべき措置

(1)首都中枢機能の継続性の確保 → 3．参照
(2)膨大な人的・物的被害への対応
① 計画的かつ早急な予防対策の推進
・建築物、施設の耐震化の推進等
・出火防止対策、発災時の速やかな初期消火、延焼被害の抑制対策等
・ライフライン等の耐震化、発災時の速やかな機能回復
・燃料の供給対策
・交通インフラ、河川・海岸堤防等の耐震化、発災時の速やかな機能回復
・その他（集客施設・原子力事業所・石油コンビナート等地区の安全確保等）
②津波対策
③円滑かつ迅速な災害応急対策、災害復旧・復興への備え
・災害応急体制の整備　・道路啓開と道路交通渋滞対策
・市街地火災への対応　・救命・救助、災害時医療機能
・膨大な数の避難者・被災者　・膨大な数の帰宅困難者等
・広域連携のための防災拠点、交通基盤の確保
・物資の絶対的な不足に対応した物資輸送機能の確保
・的確な情報収集・発信　・実践的な防災訓練
・多様な発生態様への対応　・円滑な復旧・復興
④各個人の防災対策の啓発活動
・適切な避難行動、車両の利用抑制、備蓄等
⑤企業活動等の回復・維持
・事業継続計画の作成、地域貢献等
(3)2020年オリンピック・パラリンピック東京大会に向けた対応等
・施設の耐震化、外国人観光客の避難誘導等
(4)長周期地震動対策（中長期的対応）
・高層建築物等への影響等の専門的検討

8．その他　(1)計画の効果的な推進　別途地震防災戦略・応急対策の具体計画を作成　(2)災害対策基本法に規定する防災計画との関係

注　：詳細は首都直下地震緊急対策推進基本計画の概要
https://www.bousai.go.jp/jishin/syuto/pdf/syuto_keikaku_gaiyou.pdf
https://www.bousai.go.jp/jishin/syuto/pdf/syuto_keikaku_henkou1.pdf
資料：内閣府提供

1）詳細は内閣府HP　https://www.bousai.go.jp/jishin/syuto/index.html

この基本計画に基づき、「首都直下地震における具体的な応急対策活動に関する計画」（以下「具体計画」という。）（平成28年３月）が中央防災会議幹事会で決定されている（図表2-2）。具体計画には、人命救助に重要な72時間を意識したタイムラインと目標行動の設定等が示されており、訓練等を通じて内容を評価し、定期的に改善することで、実効性を高めている。

また、首都直下地震では１都４県（東京都、茨城県、埼玉県、千葉県、神奈川県）で約800万人の帰宅困難者が発生すると見込まれており[2]、大量の帰宅困難者が徒歩等により一斉帰宅を開始した場合、緊急車両の通行の妨げになる等により応急対策活動に支障をきたすことが懸念されることから、平成27(2015)年に内閣府においてガイドラインを策定し、原則３日間の一斉帰宅抑制を基本原則とする対策に取り組むとともに、耐震化やデジタル技術の進展等の社会状況の変化等を踏まえ、対策の実効性確保に向けた検討を行っている。

一方で、減災目標を定めた基本計画の策定から10年が経過することから、基本計画等の見直しに向けて、令和５(2023)年12月に、中央防災会議・防災対策実行会議の下、首都直下地震対策検討ワーキンググループが設置された。現行では、死者数最大約２万３千人、建物全壊・焼失棟数最大約61万棟、要救助者最大約７万２千人、被害額約95兆円とされている被害想定についての見直しや防災対策の進捗状況の確認、新たな防災対策の検討が進められている。

図表2-2　首都直下地震における具体的な応急対策活動に関する計画の概要

首都直下地震における具体的な応急対策活動に関する計画の概要
（平成28年３月29日中央防災会議幹事会決定、令和５年５月23日最終改定）

救助・救急、消火等
◎広域応援部隊の派遣規模（最大値）
○１都３県以外の４３道府県の警察・消防・自衛隊の派遣（最大値）
・警察　：約1.4万人
・消防　：約2.1万人
・自衛隊：約11万人（※）　等
※ 1都3県に所在する部隊を含む。
○応援地方整備局等管内の国交省TEC-FORCEの派遣：約1,940人
◎航空機約320機、船舶約240隻

医療
◎DMAT（登録数1,754チーム）に対する派遣要請、陸路・空路参集、ロジ支援、任務付与
◎被災医療機関の継続・回復支援（人材、物資・燃料供給等）
◎広域医療搬送、地域医療搬送による重症患者の搬送

物資
◎発災後４～７日に必要な物資を調達し、被災都県の拠点へ輸送
・飲料水：23万㎥（1～7日）
・食料：5,300万食
・毛布：16万枚
・乳児用粉（液体）ミルク：20t
・大人／乳幼児おむつ：416万枚
・簡易トイレ等：3,200万回分
・トイレットペーパー：318万巻
・生理用品：489万枚

燃料、電力・ガス、通信
【燃料】
◎石油業界の系列を超えた供給体制の確保。また、緊急輸送ルート上の中核SS等へ重点継続供給・重要施設へ要請に基づく優先供給
【電力・ガス】
◎重要施設へ電源車、移動式ガス発生設備等による臨時供給
【通信】
◎重要施設への通信端末の貸与、移動基地局車又は可搬型の通信機器等の展開等による通信の臨時確保

国は、緊急災害対策本部の調整により、被害の全容把握、被災地からの要請を待たず直ちに行動（プッシュ型での支援）

緊急輸送ルート、防災拠点
◎人員・物資の「緊急輸送ルート」を設定、発災時に早期通行確保
◎各活動のための「防災拠点」を分野毎に設定、発災時に早期に確保

応援
後方支援
混乱回避

帰宅困難者
◎一斉帰宅の抑制に向けた呼びかけや施設内等における待機
◎一時滞在施設等の活用
◎帰宅困難者への適切な情報提供

首都直下地震緊急対策区域
全域：埼玉県、千葉県、東京都、神奈川県
一部：茨城県、栃木県、群馬県、山梨県、長野県、静岡県

【本具体計画のポイント】
①人命救助に重要な７２時間を意識しつつ、緊急輸送ルート、救助、医療、物資、燃料の各分野でのタイムラインと目標行動を設定
②１都３県における巨大過密都市を襲う膨大な被害の様相を踏まえた対応を反映
（例：深刻な道路交通麻痺に対応するための道路啓開及び滞留車両の排除や交通規制、
救助活動拠点の明確化、膨大な傷病者に対応するため「災害拠点病院」機能の最大限の活用
帰宅困難者対応　等）

注　：詳細は首都直下地震における具体的な応急対策活動に関する計画の概要
https://www.bousai.go.jp/jishin/syuto/pdf/syuto_oukyu_gaiyou.pdf
資料：内閣府提供

2)「首都直下地震の被害想定と対策について（最終報告）」（平成25年12月）（内閣府）

（国土交通省 防災・減災対策本部における取組状況）

国土交通省は、あらゆる自然災害に対し総力を挙げて防災・減災に取り組むべく、令和２(2020)年１月に「南海トラフ巨大地震・首都直下地震対策本部」と「水災害に関する防災・減災対策本部」を発展的に統合し、「国土交通省 防災・減災対策本部」を設置した。令和５(2023)年６月にとりまとめられた「令和５年度 総力戦で挑む防災・減災プロジェクト」では、社会情勢等も踏まえ、施策の充実・強化を図るため、「首都直下地震等の大規模地震対策の強化」、「デジタル等の新技術を活用した防災施策の推進」の２つのテーマが設定され、関東大震災100年を契機に、改めて首都直下地震等の大規模地震対策の強化を図るとともに、防災対策においても、デジタル等の新技術をさらに活用し、施策の高度化を図るとしている（図表2-3）。

図表2-3　関東大震災100年の取組

令和５(2023)年は、大正12(1923)年に発生し、近代日本の首都圏に未曾有の被害をもたらした相模湾北西部を震源とする関東大震災から100年を迎える節目の年であることから、国や地方公共団体、民間団体等で関東大震災100年をテーマとした様々な催しが開催された。

内閣府では、防災推進国民会議等とともに、９月には震源地であった神奈川県において、「防災推進国民大会(ぼうさいこくたい)2023」を開催した。「次の100年への備え～過去に学び、次世代へつなぐ～」をテーマにセッションなどが実施され、過去最多の延べ383団体が出展し、現地約１万６千人、オンライン約１万１千人が参加し、大会を通じて、関東大震災の記憶の継承・防災意識の啓発を図った。

道路啓開訓練時の様子

国土交通省では、関東大震災で何が起こったのかを振り返るとともに、切迫する首都直下地震等の巨大地震に対して、行政、民間企業、市民等による、さらなる備えについて考えることを目的として、シンポジウム、ゆかりの地を巡るツアーや特別企画展を開催したほか、道路啓開計画の八方向作戦の実効性を高めるため、新技術・多様な手段により被災状況や交通状況を迅速かつ確実に把握・共有するとともに、関係機関と連携し、道路啓開作業を行う実働訓練など、首都直下地震に備えた実践的な訓練を行った。

（国土強靱化の取組）

国土強靱化の取組を推進するため、「人命の保護」、「国家・社会の重要な機能が致命的な障害を受けず維持される」、「国民の財産及び公共施設に係る被害の最小化」、「迅速な復旧復興」の４つの基本目標を設定し、取組全体に対する基本的な方針を定めた「国土強靱化基本計画」が平成26(2014)年６月に閣議決定された。

令和５(2023)年６月には、国土強靱化実施中期計画の策定の法定化及び国土強靱化推進会議の設置を主な内容とする改正国土強靱化基本法が可決・成立し、継続的かつ安定的に国土強靱化を進めることが可能となった。

同年７月には、強靱化基本計画を変更し、国土強靱化に当たって考慮すべき主要な事項と情勢の変化を踏まえ、これまでの基本的な方針に、「デジタル等新技術の活用による国土強靱化施策の高度化」及び「地域における防災力の一層の強化による『地域力の発揮』」が新たな施策の柱として追加され、国土強靱化にデジタルと地域力を最大限生かし、具体的な取組を進めることとされた。

（２）防災拠点に関する取組状況

首都直下地震等の大規模地震に備え、地方公共団体の防災拠点となる公共施設等の耐震化率は着実に増加しており、首都圏では令和４(2022)年10月時点で97.7％と、全国に比べて高い水準で推移している（図表2-4）。災害対策本部が設置される地方公共団体の庁舎における非常用電源については、令和５(2023)年６月時点で、首都圏の全ての都県及び約97％の市区町村で設置されているものの、72時間以上稼働可能な非常用電源[3)]が設置されているのは、首都圏の全ての都県及び約62％の市区町村となっている（図表2-5）。

また、広域的な防災活動の核となる基幹的広域防災拠点として、神奈川県川崎市の東扇島地区が平成20(2008)年４月に、東京都江東区の有明の丘地区が平成22(2010)年７月に供用を開始し、国土交通省や内閣府等により、運用体制の強化が進められている。令和５(2023)年８月には、東扇島、有明の丘の両地区において、首都圏直下地震に備えた実働的な防災訓練が行われた。

図表2-4　防災拠点となる公共施設等の耐震化率の推移

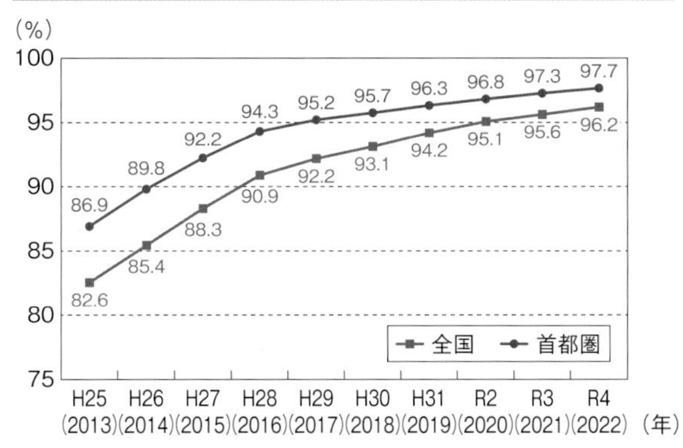

注　：平成25(2013)～平成31(2019)年は各年３月31日時点、令和２(2020)～令和４(2022)年は各年10月１日時点
資料：「防災拠点となる公共施設等の耐震化推進状況調査結果」（消防庁）を基に国土交通省国土政策局作成

図表2-5　非常用電源の整備状況と稼働可能時間

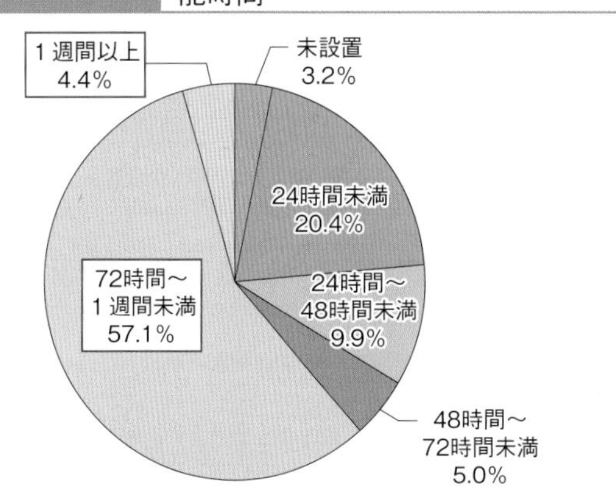

注　：令和５(2023)年６月１日時点
資料：「地方公共団体における業務継続性確保のための非常用電源に関する調査結果」（消防庁）を基に国土交通省国土政策局作成

（３）密集市街地の現状及び整備状況

老朽化した木造住宅が密集し、細街路が多く公園等のオープンスペースの少ない密集市街地では、防災上多くの課題を抱えており、早急な整備改善が課題になっている。

密集市街地については、令和３(2021)年３月に閣議決定された「住生活基本計画（全国計画）」において、「地震時等に著しく危険な密集市街地」を令和12(2030)年度までに概ね解消することとしている。首都圏では、同密集市街地が令和４(2022)年度末時点で446ha（前年度より20ha減）となっており、都県別に見ると、神奈川県が首都圏の約７割を占めている（図表2-6、図表2-7）。

住宅市街地総合整備事業、都市防災総合推進事業等により、老朽建築物等の除却・建替え、道路・公園等の防災上重要な公共施設の整備等が行われており、住宅市街地総合整備事業（密集住宅市街地整備型）等の令和５(2023)年度の実施地区については、首都圏では東京都が約８割を占めている（図表2-8）。

3)「大規模災害発生時における地方公共団体の業務継続の手引き」（平成28年２月）（内閣府）では、「72時間は、外部からの供給なしで非常用電源を稼働可能とする措置が望ましい。」とされている。

図表2-6　全国における「地震時等に著しく危険な密集市街地」の状況

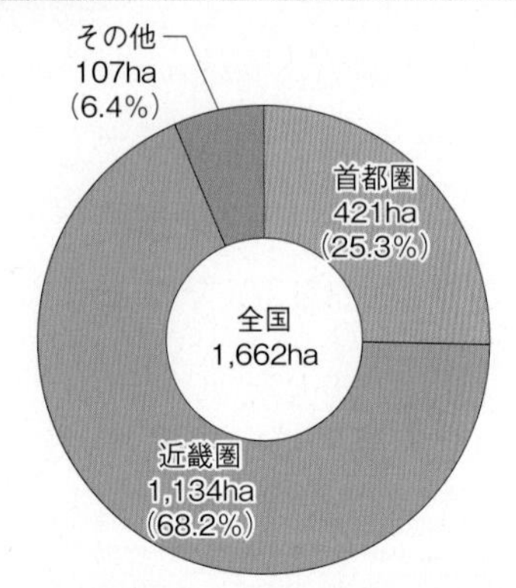

注　：令和5(2023)年度末時点
資料：国土交通省

図表2-7　都県別の「地震時等に著しく危険な密集市街地」の状況

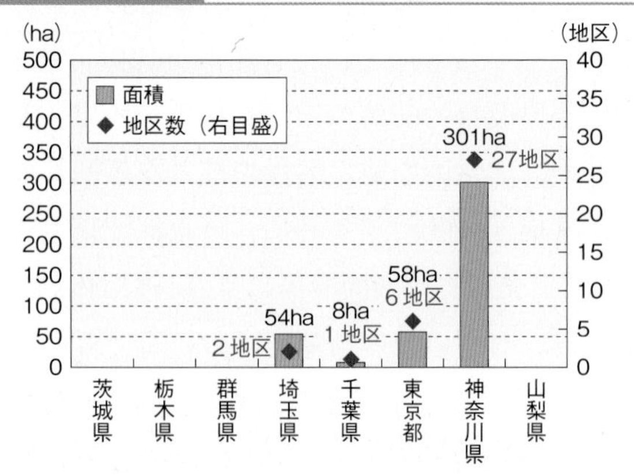

注　：令和5(2023)年度末時点
資料：国土交通省

図表2-8　住宅市街地総合整備事業（密集住宅市街地整備型）等の実施状況

地域	地区数
首都圏	87地区
東京都	70地区
近隣3県（埼玉県、千葉県、神奈川県）	13地区
周辺4県（茨城県、栃木県、群馬県、山梨県）	4地区
全国	140地区

注1：密集市街地総合防災事業を含む。
注2：令和5(2023)年度実績
資料：国土交通省

また、東京都では令和4(2022)年に立ち上げた「TOKYO強靭化プロジェクト」において、木造住宅密集地域の不燃化対策のほか、建築物の耐震化、無電柱化等の地震対策を進めている。

(4) 避難行動支援に関する取組状況

災害による被害を軽減するためには、発災時に適切に避難行動をとることが重要であり、平時より住民の避難に対する意識を醸成するとともに、多くの避難者を支援する環境を確保しておく必要がある。避難所の確保や物資支援などについて、民間機関との応援協定の締結が進められており、平成24(2012)年から令和5(2023)年で、首都圏の都県と応援協定を結ぶ民間機関等の数は、約3.6倍に増加している（図表2-9）。

図表2-9　応援協定を結ぶ民間機関等の数の推移

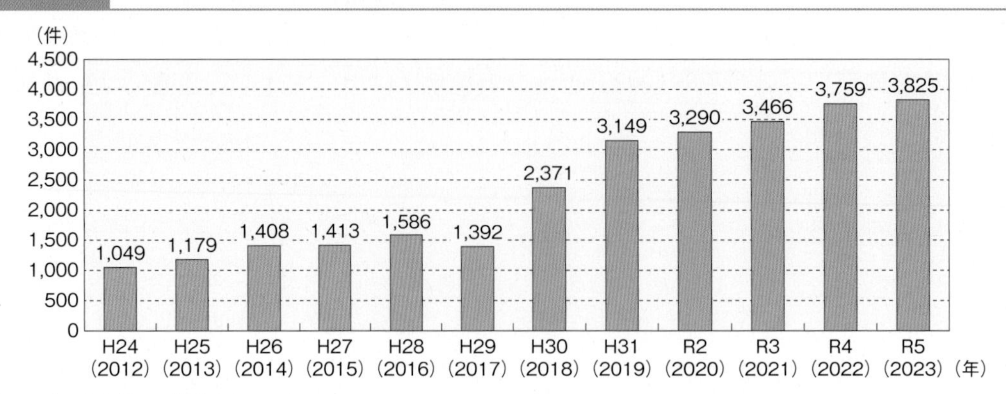

注　：各年4月1日時点での状況
資料：「地方防災行政の現況」（消防庁）を基に国土交通省国土政策局作成

大都市のターミナル駅周辺を中心に指定されている「都市再生緊急整備地域」は、業務機能、商業機能等が集積し、地震等の大規模災害が発生した場合、大量の帰宅困難者が発生するリスクがある。そのため、都市再生特別措置法に基づき、滞在者等の安全確保のための「都市再生安全確保計画」の作成が進められており、首都圏では令和６(2024)年３月末時点で、16件策定されている。帰宅困難者対策として一時滞在施設の確保も進められており、民間事業者等の協力により、東京都では令和６(2024)年１月時点で約47万人分が確保されている。

(5) 火山災害からの避難対策

現在、富士山の火山活動が活発化する兆候は見られていないが、大規模な噴火が発生した場合、降灰による影響は神奈川県や東京都を含む東京圏まで拡大する可能性があるとされている。令和３(2021)年３月に富士山ハザードマップが改定され、従前の平成16(2004)年版と比較して想定される大規模溶岩流の噴出量が約２倍の13億㎥に、火砕流の噴出量が約４倍の1,000万㎥に変更されたことで、「より短時間で」「より遠くまで」噴火現象の影響が及ぶことが示され、これに伴い富士山の火山災害警戒地域も拡大し、３県（神奈川県、山梨県、静岡県）27市町村となった。国、３県及び周辺市町村等により構成される富士山火山防災対策協議会は、新たな被害想定に対応するため、令和５(2023)年３月に「富士山火山避難基本計画」を公表した。

また、令和５(2023)年６月には、噴火災害が発生する前の予防的な観点から、活動火山対策の更なる強化を図るための活動火山対策特別措置法の一部を改正する法律（令和５年法律第60号）が令和６(2024)年４月１日から施行された。本改正において、文部科学省に火山調査研究推進本部が設置されるとともに、不特定多数の者が利用する施設などに義務づけられている避難確保計画の作成等に係る市町村長による援助や、国民の間に広く活動火山対策についての関心と理解を深めるようにするため、８月26日を火山防災の日とする規定などが新たに追加された。

2．治山・治水事業等による水害対策等

(1) 治山事業

首都圏における令和４(2022)年の山地災害の発生状況は、20箇所となった（図表2-10)。被災した治山施設や山林の復旧が図られるとともに、国土の保全、水源の涵(かん)養等の森林が有する公益的機能の確保が特に必要な保安林等において、治山施設の設置や機能の低下した森林の整備などを行う治山事業が進められている。

図表2-10　山地災害発生状況（令和４(2022)年）

（単位：百万円）

	合計		林地荒廃		治山施設	
	箇所数	被害額	箇所数	被害額	箇所数	被害額
茨城県	0	0	0	0	0	0
栃木県	1	85	1	85	0	0
群馬県	4	272	4	272	0	0
埼玉県	5	798	5	798	0	0
千葉県	0	0	0	0	0	0
東京都	0	0	0	0	0	0
神奈川県	7	448	4	322	3	126
山梨県	3	8	3	8	0	0
合計	20	1,611	17	1,485	3	126

資料：「森林・林業統計要覧」（林野庁）を基に国土交通省国土政策局作成

（2）治水事業

（水害被害への対応）

首都圏は、人口や資産が高密度に集中しているため、洪水氾濫に対する潜在的な危険性が極めて高い。水害被害額は、平成29(2017)年から令和３(2021)年までの５年間の平均値がそれまでの期間と比較して大きく増加し、水害密度[4]に関しては、全国の約２倍となっている（図表2-11、図表2-12）。

図表2-11　水害被害の推移

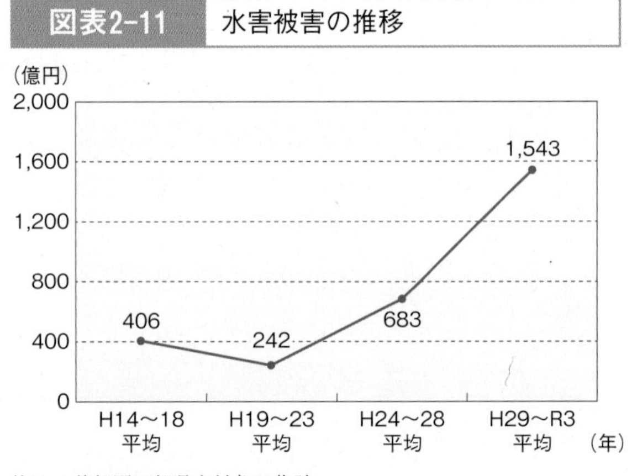

注１：首都圏の都県を対象に集計
注２：経年比較のため水害被害額は、水害被害額デフレーター（平成27年＝1.00）を用いて算出した。
資料：「水害統計」（国土交通省）を基に国土交通省国土政策局作成

図表2-12　水害密度の比較（平成29(2017)年～令和３(2021)年平均）

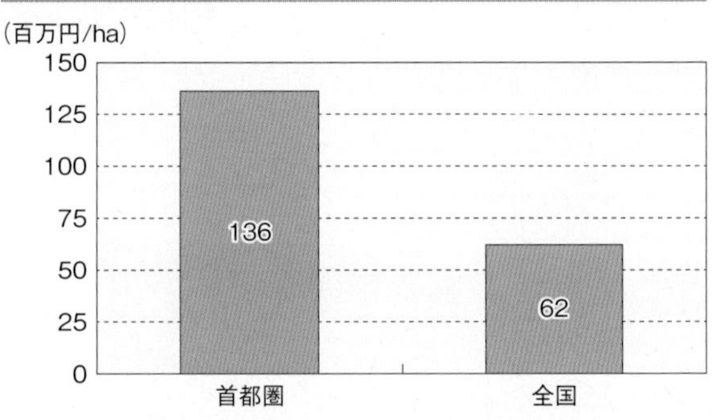

注　：経年比較のため水害密度の算出に当たり、一般資産被害額（営業停止損失分を含む）は、水害被害額デフレーター（平成27年＝1.00）を用いて算出した。
資料：「水害統計」（国土交通省）を基に国土交通省国土政策局作成

令和元年東日本台風により、首都圏で特に甚大な被害の発生した入間川流域（荒川水系）、那珂川、久慈川、多摩川の４水系では、令和２(2020)年１月より、国、都県、市区町村が連携して再度災害[5]防止のための「緊急治水対策プロジェクト」が進められている。令和５(2023)年度は例えば、多摩川ではハード対策として河道掘削、堤防整備や堰改築などが実施され、ソフト対策としても講習会等によるマイ・タイムラインの普及促進などが進められている（図表2-13）。

4）水害密度：宅地等が水害により被った単位浸水面積当たりの一般資産被害額（営業停止損失分を含む）
5）再度災害：何度も同じ施設や場所が同じように被災すること

図表2-13　多摩川緊急治水対策プロジェクトの状況

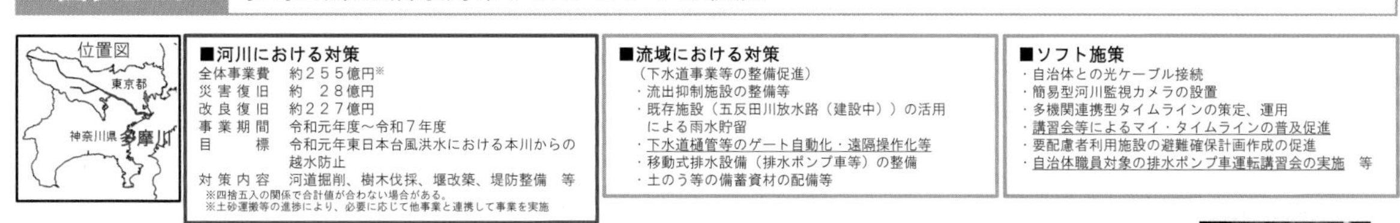

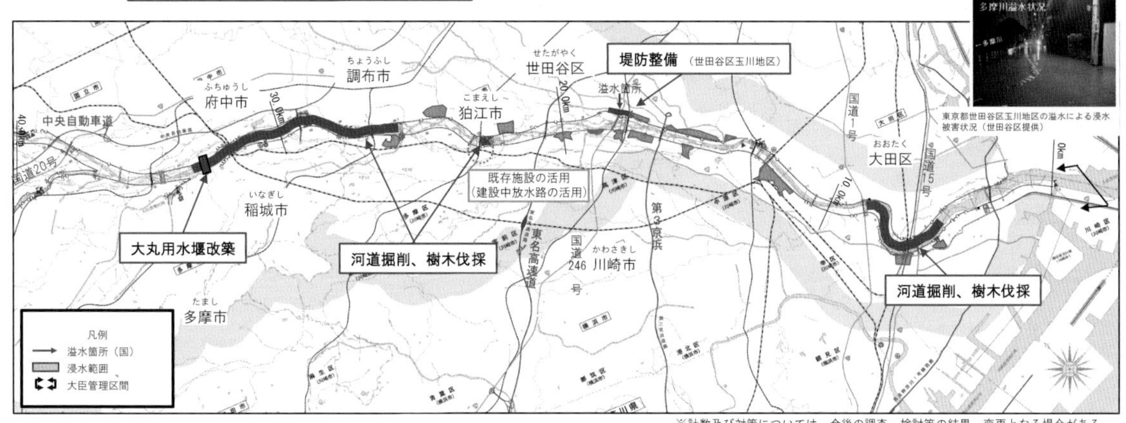

※計数及び対策については、今後の調査、検討等の結果、変更となる場合がある

注　：詳細は、国土交通省HP　https://www.ktr.mlit.go.jp/keihin/keihin_index134.html
資料：国土交通省

また、東京圏では、下水道等の排水施設の能力を超えた雨が降った時や雨水の排水先の河川の水位が高くなった時等に雨水が排水できなくなり浸水する内水氾濫のリスクが高く、平成29(2017)年から令和３(2021)年までの過去５年間においては、特に東京都で内水被害の占める割合が高くなっている（図表2-14）。令和３(2021)年度には、「下水道浸水被害軽減総合計画策定マニュアル（案）」等が改訂されるとともに、計画的かつ着実に耐水化を実施するためのロードマップが示されているほか、地方公共団体では洪水、内水の浸水想定区域内における下水道施設の耐水化計画の策定が進められている。

図表2-14　平成29(2017)年から令和３(2021)年までの水害被害額のうち内水被害の占める割合

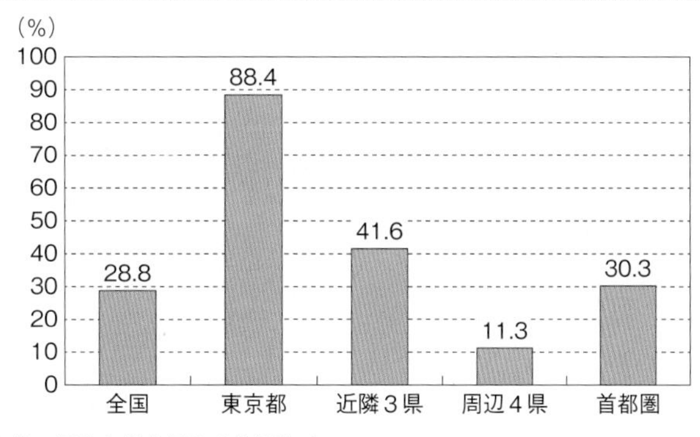

資料：「水害統計」（国土交通省）を基に国土交通省国土政策局作成

(流域治水による水災害対策)

近年、頻発化・激甚化する水災害に対応するため、河川・下水道管理者等による治水対策に加え、国・都道府県・市町村・企業・住民等のあらゆる関係者が協働して流域全体で取り組む「流域治水」が進められている。首都圏の一級水系では13の「流域治水プロジェクト」が策定されており、築堤や河道掘削、地下調整池等の治水施設の整備を実施し、水位・雨量情報、洪水予測、災害状況把握等の防災情報の高度化を図るなど、ハード・ソフト一体となった対策が推進されている（図表2-15）。

図表2-15　首都圏の一級水系における流域治水プロジェクト

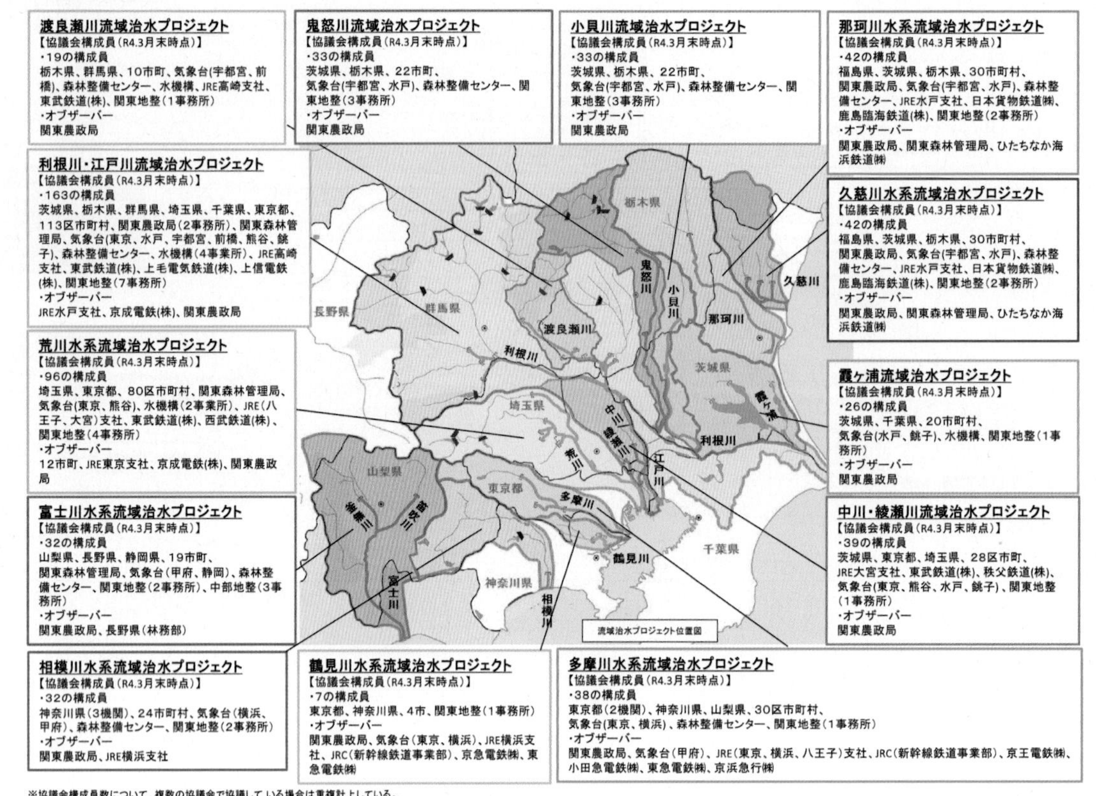

※協議会構成員数について、複数の協議会で協議して いる場合は重複計上している。
※那珂川水系流域治水プロジェクトと久慈川水系流域治水プロジェクトは同一の協議会で実施しているため、構成員は同数。
※鬼怒川流域治水プロジェクトと小貝川流域　治水プロジェクトは上下流の協議会で実施しているため、構成員は同数。

資料：国土交通省

また、気候変動への適応・カーボンニュートラルへの対応のため、治水機能の強化と水力発電の促進を両立させる「ハイブリッドダム」の取組[6]を進めている（図表2-16）。

令和５(2023)年度は、このうち、ダムの運用高度化について、八ッ場（やんば）ダムを含む国土交通省、水資源機構管理の73ダムで試行をした。また、既設ダムの発電施設の新増設については、国土交通省が管理する湯西川ダム等の３ダムを事例として、事業化に向けて、民間事業者等の参画方法や事業スキームについて検討を行うケーススタディを実施した。

図表2-16　ハイブリッドダムのイメージ

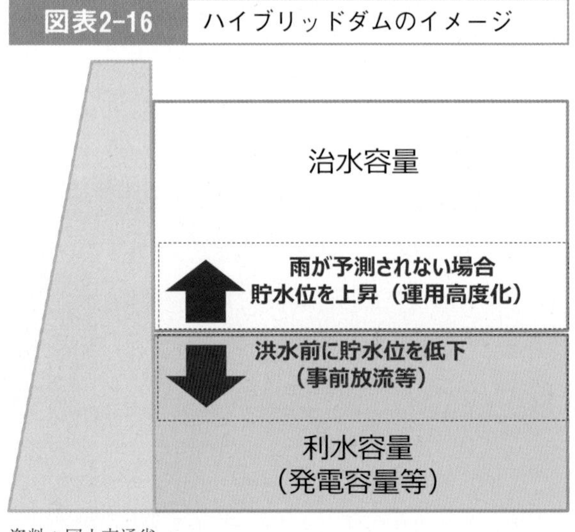

資料：国土交通省

（ハード・ソフト対策の状況）

洪水等へのハード対策として、例えば、国土交通省関東地方整備局が管轄する８水系（荒川、利根川、那珂川、久慈川、多摩川、鶴見川、相模川、富士川）における堤防整備率は、令和５(2023)年３月末時点で69.3％となっている（図表2-17）。特に流域に人口・資産等が集中している利根川、江戸川においては、堤防拡幅等による堤防強化対策が実施されている。

6）ダムを活用し、「治水機能の確保・向上」、「カーボンニュートラル」、「地域振興」の３つの政策目標の実現を図るもの

図表2-17　国土交通省関東地方整備局が管轄する８水系の堤防整備率の推移

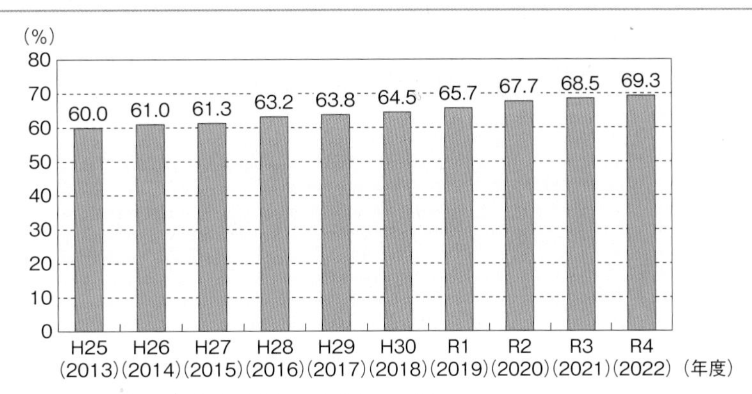

注１：８水系は、荒川、利根川、那珂川、久慈川、多摩川、鶴見川、相模川、富士川
注２：整備率は堤防必要区間に対する計画断面堤防区間として算出
資料：「直轄河川管理施設状況」（国土交通省）を基に国土交通省国土政策局作成

また、洪水、内水対策に加え、東京港等における高潮への対策として、河川・海岸の堤防、水門、排水機場等の整備が進められており、令和４(2022)年度には、東京都が気候変動の影響による海面上昇等を考慮し、「東京湾沿岸海岸保全基本計画［東京都区間］」を改定した。

ソフト面では、多発する水害等から身を守るため、ハザードマップ等を効果的に活用し、地域の災害リスクを適切に理解し、気象情報や地方公共団体から発令される避難情報を踏まえて、早期に避難することが重要である。また、浸水や土砂災害などの災害ハザードエリアの指定、ハザードマップの整備も進められており、災害リスク情報の充実が図られている（図表2-18）。

図表2-18　ハザードマップ公表状況（令和６(2024)年１月時点）

	市区町村数	洪水	内水	高潮	津波	土砂災害	火山
茨城県	44	42	7	0	10	40	0
栃木県	25	25	3	0	0	22	3
群馬県	35	27	2	0	0	27	7
埼玉県	63	61	45	0	0	38	0
千葉県	54	51	20	12	26	44	0
東京都	62	52	37	15	9	51	6
神奈川県	33	31	16	8	15	31	2
山梨県	27	17	1	0	0	26	7
合計	343	306	131	35	60	279	25

注　：公表状況は「ハザードマップポータルサイト」に登録されている市区町村数を集計
資料：「ハザードマップポータルサイト」（国土交通省HP　https://disaportal.gsi.go.jp/）を基に国土交通省国土政策局作成

（まちづくりによる水災害対策）

まちづくりによる水災害対策としては、流域治水関連法に基づき創設された「浸水被害防止区域」での開発規制や、都市再生特別措置法等による安全なまちづくりに向けた総合的な対策が進められている。

この対策の一環として、国土交通省では、コンパクトシティの取組において防災指針[7]を先行的に作成し、都市の防災・減災対策に意欲的に取り組む「防災コンパクト先行モデル都市」を選定しており、首都圏では、ひたちなか市、宇都宮市、秩父市、厚木市が選定されている。首都圏では、令和５(2023)年12月末時点で、選定された４市を含む46市町において防災指針が立地適正化計画に位置付けられている。

また、東京ゼロメートル地帯に位置する江東５区（墨田区、江東区、足立区、葛飾区、江戸川区）等では、「災害に強い首都『東京』形成ビジョン」（令和２(2020)年12月策定）に基づき、線的・面的につながった高台・建物群の創出による、「高台まちづくり」が進められている。モデル地区である江戸川区船堀地区では、令和５(2023)年３月に船堀駅前地区高台まちづくり基本方針を策定し、「防災活動拠点の形成」、「待避スペースの確保」、「最低限の避難環境の確保」、「浸水区域外への非浸水動線の確保」、「浸水発生後の具体的な行動の検討」が基本方針に盛り込まれた。

このうち、浸水区域外への非浸水動線の確保は、歩行者デッキや建物の共用部等を活用した避難動線を整備することで、浸水時、安全を確保した上で本地区の高台まちづくりエリアから地域防災拠点や浸水区域外へ徒歩で避難することや、高台まちづくりエリアの建物間の移動や物資の輸送が可能になるほか、平常時においては、地上レベルとともに重層的な回遊動線となって、まちの賑わい創出、利便性の向上につながることが期待される（図表2-19）。

7）立地適正化計画の居住誘導区域等内で行う防災対策・安全確保策を定めたもの

図表2-19　非浸水動線の活用イメージと役割

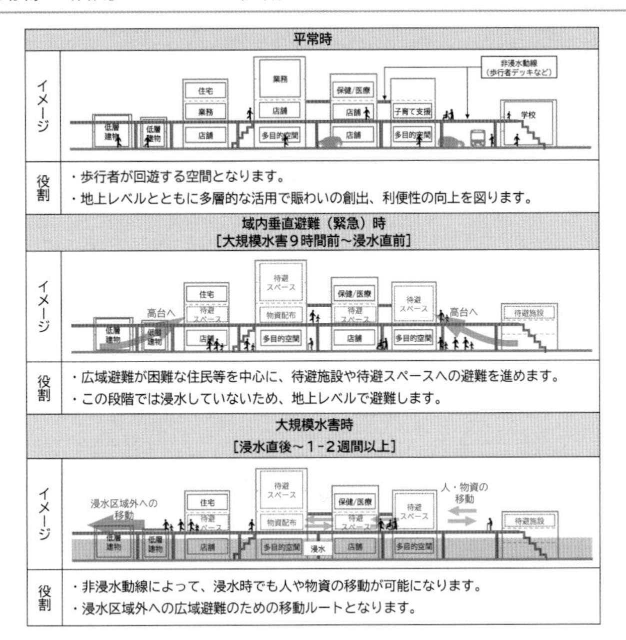

資料：船堀駅前地区高台まちづくり基本方針（江戸川区）

江戸川区では、令和5(2023)年10月には、高台まちづくりに資する施設を含めた地区計画や一団地の都市安全確保拠点施設が都市計画決定され、まちづくりの取組が進められている。

第3節 面的な対流を創出する社会システムの質の向上

１．社会資本の整備

（１）陸上輸送体系の整備

（高規格道路の整備）

首都圏においては、大都市周辺における渋滞ボトルネック箇所への集中的対策等に資する首都圏３環状の整備の推進とともに、高速道路ネットワークがつながっておらず地域サービスへのアクセスもままならない地域や災害に脆弱な地域等において、国土のミッシングリンクの早期解消に向けた取組が進められている。また、令和３(2021)年７月には、安定した物流を確保するため、高規格道路を含む道路交通ネットワークの中長期的な整備・管理や道路交通マネジメントの基本となる「新広域道路交通計画」が関東ブロック[1]で策定され、空港・港湾等へのアクセス強化などが基本戦略として示されている。

首都圏中央連絡自動車道（圏央道）は、約９割が開通済であり、未開通区間の大栄JCT～松尾横芝IC間、高速横浜環状南線（釜利谷JCT～戸塚IC間）、横浜湘南道路（栄IC・JCT～藤沢IC間）において整備が推進されている（図表3-1）。また、久喜白岡JCT～大栄JCT間の４車線化については、令和４(2022)年度末に久喜白岡JCT～幸手IC間、境古河IC～坂東IC間が開通し、残る区間においても整備が推進されている。

東京外かく環状道路（外環）は、平成30(2018)年６月に三郷南ICから高谷JCTまでの区間が開通し、大泉JCTから高谷JCTまでの区間約50kmが開通済であり、関越から東名までの区間も事業が進められている。

また、首都高速道路都心環状線では日本橋区間の地下化に向けて、呉服橋・江戸橋出入口が廃止されるなど、工事が進められており、新大宮上尾道路（与野～上尾南）についても、開通に向けて整備が推進されている。

1）茨城県、栃木県、群馬県、埼玉県、千葉県、東京都、神奈川県、山梨県、長野県

図表3-1　高規格道路の整備状況（令和５年度末時点）

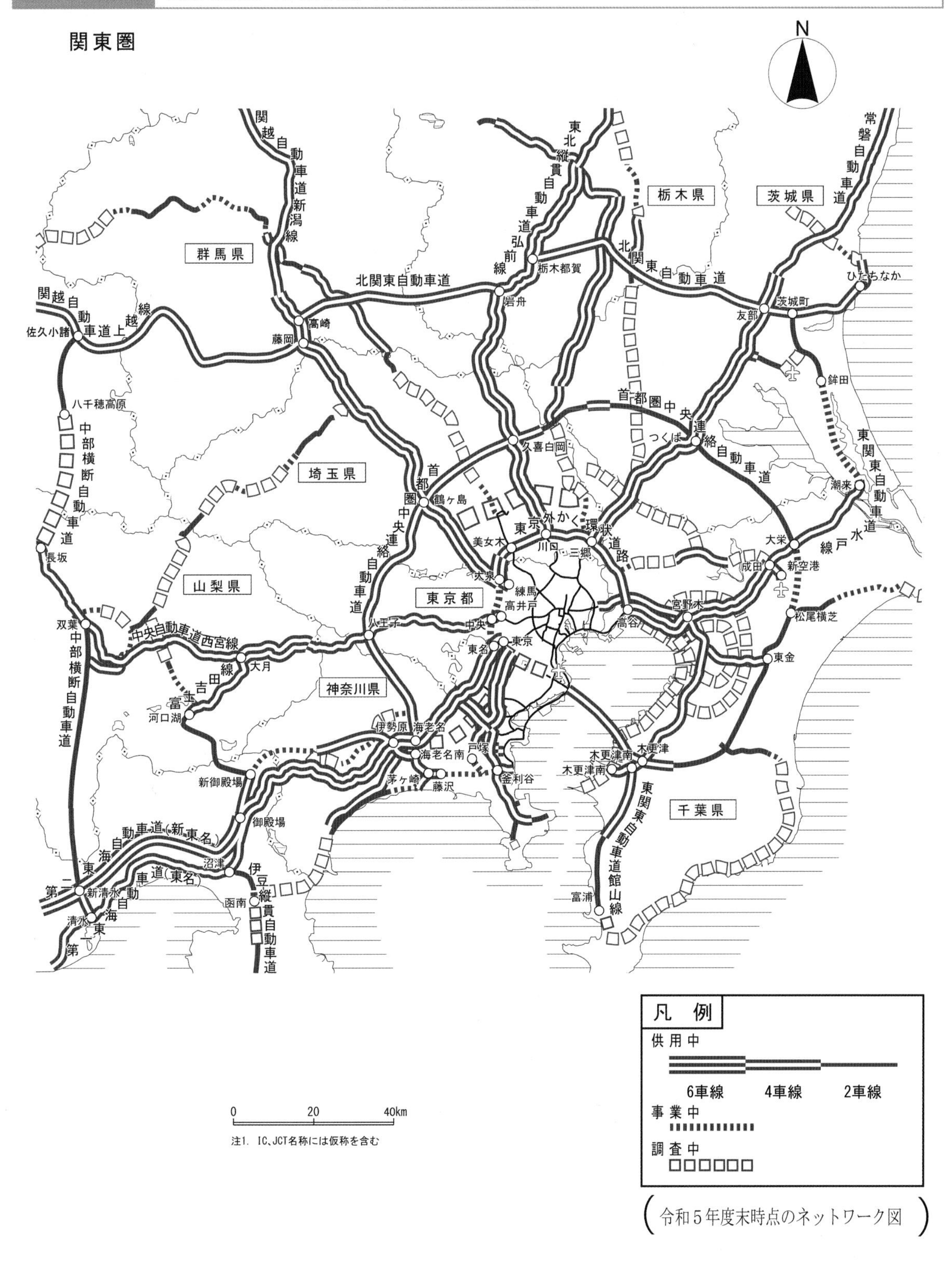

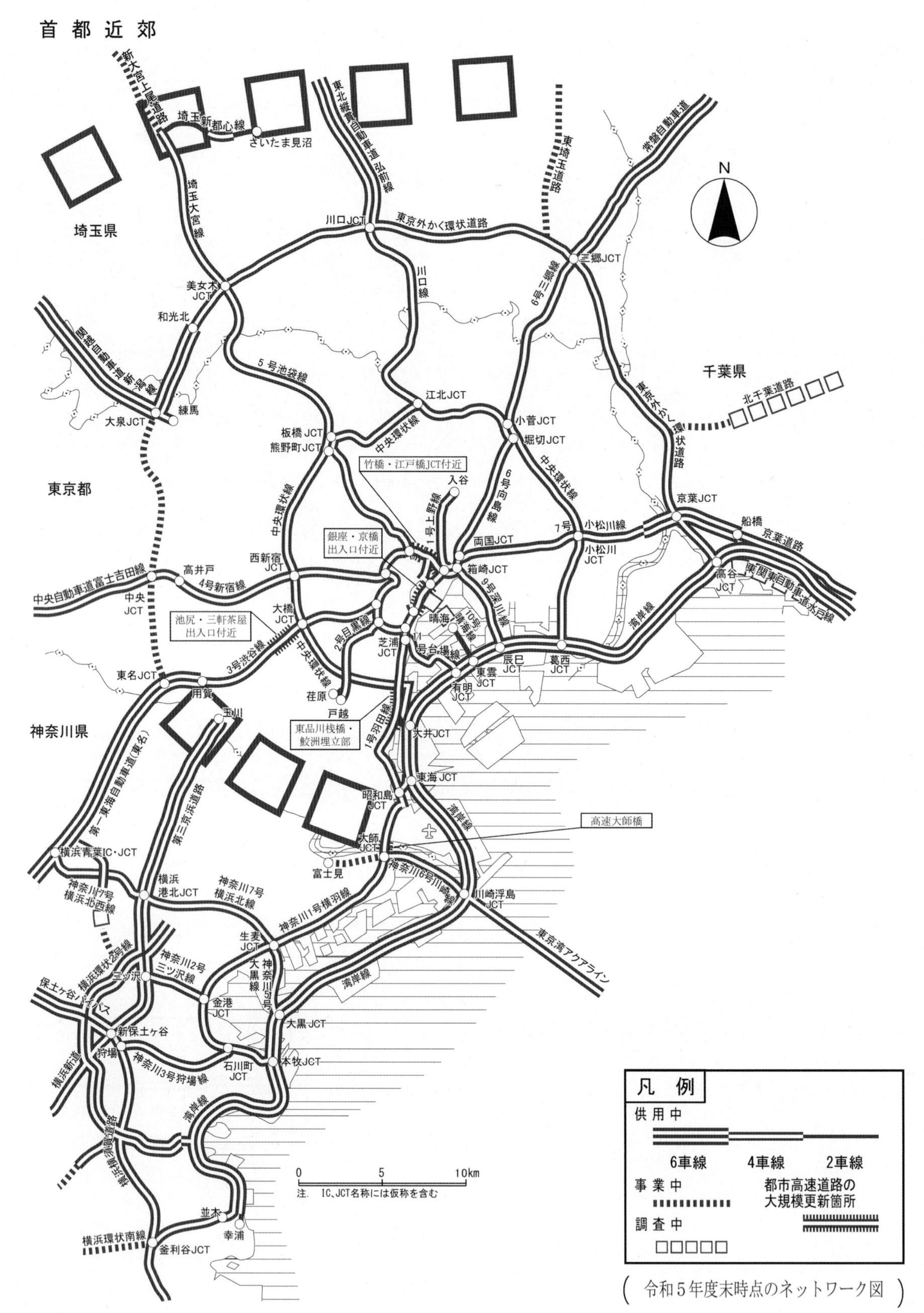

(令和5年度末時点のネットワーク図)

資料：国土交通省

（ITS（高度道路交通システム）の活用による交通の円滑化）

道路交通の円滑化などに当たり、ETC（自動料金支払システム）、VICS（道路交通情報通信システム）等のITSの開発・実用化・普及が推進されている。ETC2.0の導入により、多種多様なビッグデータが活用可能となり、ピンポイント渋滞対策や交通事故対策、生産性の高い賢い物流管理など、道路ネットワークの機能を最大限に発揮する取組に活用されている。

ETC搭載車に通行を限定することで、料金徴収施設が不要でコンパクトな整備が可能となる「スマートIC」の整備も進められ、令和５(2023)年12月時点で首都圏の35箇所で整備されている。令和５(2023)年度には、例えば、栃木県栃木市の都賀西方スマートICが整備され、周辺施設へのアクセス時間短縮により、工業振興、農業振興による地域活性化や、災害時の救援物資の供給拠点となる「道の駅にしかた」及び市内避難所への緊急物資の輸送の迅速化などが期待されている（図表3-2）。同年９月には栃木県壬生町の（仮称）壬生PAスマートICが新たに事業認可された。

また、料金所における業務の効率化や渋滞の解消、感染リスクの軽減等を図るため、既存のICのETC専用化を計画的に推進することとしており、首都圏では令和５(2023)年度末までに、48箇所の料金所で導入を開始しているところであり、引き続き順次拡大することとしている。

図表3-2　都賀西方スマートIC

資料：栃木市提供

（地域公共交通の取組）

地域公共交通は、国民生活や社会経済活動を支える社会基盤である一方で、人口減少等による長期的な需要の減少に加え、運転手等の人手不足による供給の制約により、厳しい状況に置かれている。こうした状況を踏まえ、国土交通省では、交通政策審議会交通体系分科会地域公共交通部会での議論も踏まえ、令和５(2023)年10月１日に施行された地域交通法等改正法において、地域の関係者の連携と協働の促進を国の努力義務として位置づけるとともに、ローカル鉄道の再構築に関する仕組みの創設・拡充、エリア一括協定運行事業の創設、道路運送高度化事業の拡充など、制度の強化を行った。また、同年11月に成立した補正予算では、地域の多様な関係者間の「共創」の取組の支援やDX・GXによる経営改善支援に加え、旅客運送事業者の人材確保など、地域公共交通の再構築を図るための所要の予算が措置された。

今回創設・拡充された枠組みを含めたあらゆる政策ツールを最大限活用し、利便性・生産性・持続可能性の高い地域公共交通への「リ・デザイン（再構築）」を加速していくこととしている。首都圏では、拡充された道路運送高度化事業において、キャッシュレス決済の導入等を含む茨城交通株式会社の道路運送高度化実施計画が全国初となる認定を受けた（図表3-3）。

図表3-3　茨城交通株式会社の道路運送高度化実施計画における取組

取組の内容

（1）キャッシュレス決済の導入・拡充

○現行ＩＣカードシステムにキャッシュレス決済システム（クレジットカードタッチ決済、ＱＲコード決済）を導入

○水戸・日立エリアのシステムを統合し、ICカードを「いばっピ」に統一

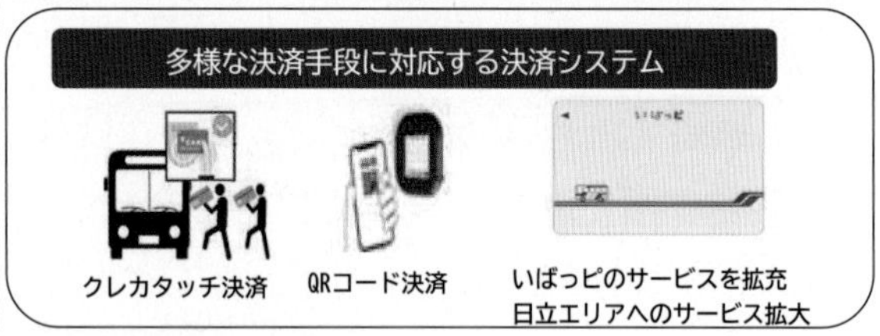

多様な決済手段に対応する決済システム

クレカタッチ決済　QRコード決済　いばっピのサービスを拡充　日立エリアへのサービス拡大

（2）定期券等の利用者Web決済サービスの導入・拡充

○定期券の新規申込・継続購入、ＩＣカードのオートチャージ登録等について、利用者Web決済サービスを導入

利用者Ｗｅｂ決済内容
新規定期券の申込
継続定期券の更新・決済
オートチャージ登録・変更・解約

事業の効果	運賃支払時間の短縮、窓口の混雑緩和による運送申込時間の短縮
計画実施時期	令和５年12月
対象区域	茨城県（水戸市、日立市、常陸太田市、高萩市、笠間市、ひたちなか市、常陸大宮市、那珂市、茨城町、大洗町、城里町、東海村、大子町、北茨城市）
総事業費	７６０百万円

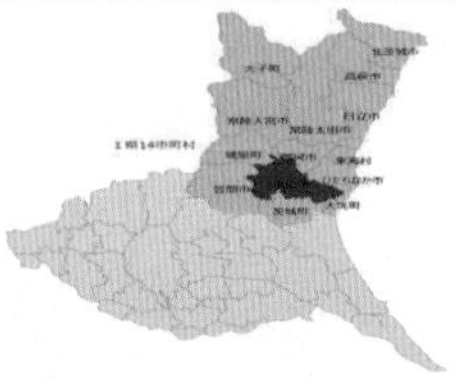

資料：国土交通省

（自動運転の社会実装に向けた取組）

日立市では、令和３(2021)年より、経済産業省及び国土交通省が進める「自動運転レベル４先進モビリティサービス・研究開発・社会実装プロジェクト」の一環として、持続可能な自動運転移動サービスの構築に向けて、ひたちBRTバス専用道を利用した、レベル４相当の中型自動運転バスの社会実装に向けた実証実験を行っており、専用道内でのレベル４の運行許認可に向けて取組を進めている。

令和６(2024)年には、デジタルライフライン全国総合整備実現会議がとりまとめた「デジタルライフライン全国総合整備計画」において、日立市は自動運転サービス支援道（一般道）の令和６(2024)年の先行地域と位置づけられ、レベル４自動運転サービスの社会実装を目指した取組が進められている（図表3-4）。

図表3-4　ひたちBRT

資料：日立市提供

（鉄道の利便性向上や混雑緩和）

宇都宮市と芳賀町を結ぶLRT（次世代型路面電車システム）事業について、令和５(2023)年３月には工事が完了し、同年８月に開業した（図表3-5）。開業から６ヶ月で当初予測の1.2倍となる約227万人が利用し、地域の移動手段として定着しつつある。

さらに、都心部の将来像を実現するための「都心部まちづくりプラン」や「(仮称)JR宇都宮駅西口周辺地区整備基本計画」の策定に向けて取り組むなど、駅西側LRT導入を見据えたまちづくりが進展している。

図表3-5　宇都宮市と芳賀町を結ぶLRTの導入ルート

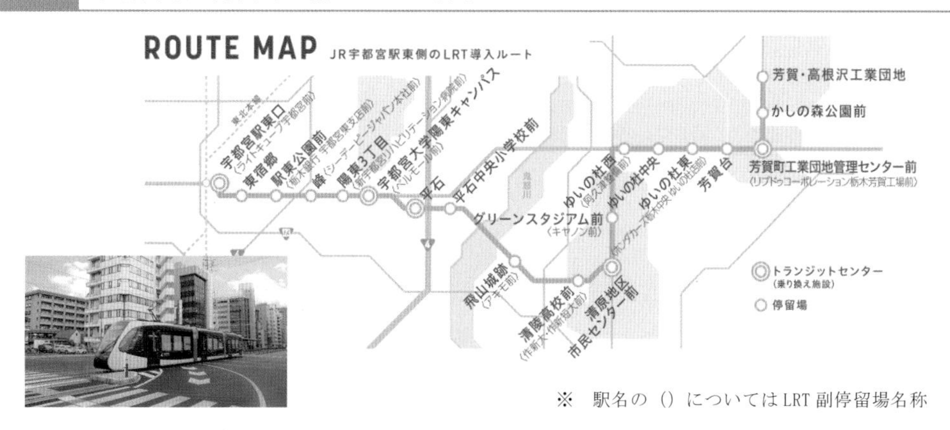

※　駅名の（）についてはLRT副停留場名称

資料：宇都宮市提供

交通政策審議会の「東京圏における今後の地下鉄ネットワークのあり方等について」の答申（令和３(2021)年７月）で、東京８号線（有楽町線）の延伸（豊洲～住吉）、都心部・品川地下鉄の新設(白金高輪～品川)について、早期事業化が提言された。国土交通省は、令和４(2022)年３月に同事業を許可し、その後、東京都が都市計画や環境影響評価の手続きに着手するなど、事業化に向けた諸手続が進められている。

首都圏の鉄道における通勤混雑については、令和２(2020)年度に新型感染症の感染拡大による外出・移動の自粛等により緩和され、令和３(2021)年度も同様の傾向が続いていたが、令和４(2022)年度は混雑率が増加した（図表3-6）。

図表3-6　東京圏における主要31区間の平均混雑率の推移

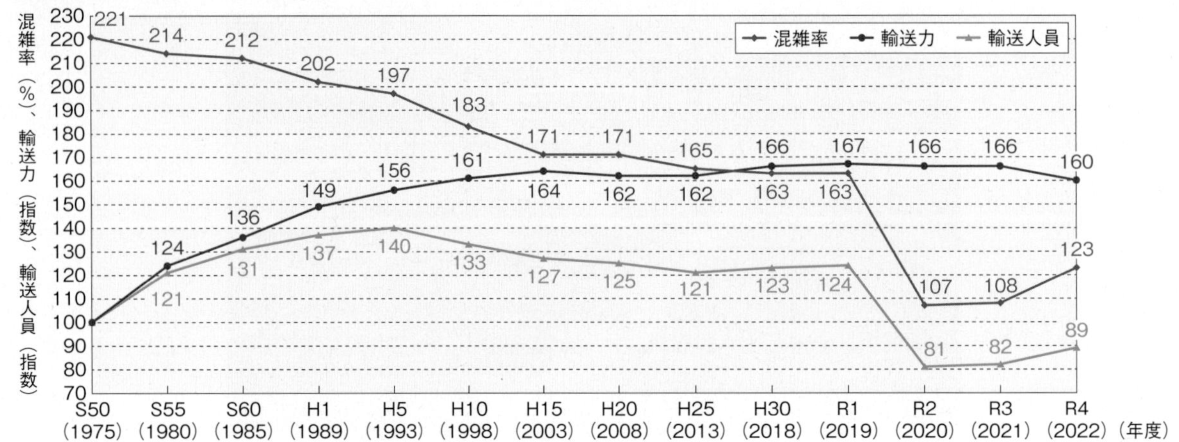

注１：国土交通省において昭和30年から継続的に混雑率の統計をとっている主要31区間。
注２：輸送力、輸送人員は、昭和50年度を100とした指数。
資料：国土交通省資料を基に国土政策局作成

(安全対策の推進)

踏切道における事故防止と交通の円滑化を図るため、踏切道の立体交差化等の対策が総合的に進められているところであるが、大都市圏を中心とした「開かずの踏切」等は、踏切事故や慢性的な交通渋滞等の原因となり、早急な対策が求められている。このため、道路管理者及び鉄道事業者が連携し、踏切を除却する連続立体交差事業及び統廃合等並びに踏切の安全性向上を図る歩道拡幅及び踏切保安設備の整備等が緊急かつ重点的に推進されている。

また、視覚障害者の踏切道内での事故を受け、令和６(2024)年１月に「道路の移動等円滑化に関するガイドライン」を改定し、踏切道内誘導表示の設置方法や構造等を規定するとともに、踏切道改良促進法（昭和36年法律第195号）に基づき、この改定も踏まえ、令和５(2023)年度には首都圏で新たに142箇所が改良すべき踏切道として指定された。

鉄道駅の安全対策について、令和３(2021)年５月に策定された第２次交通政策基本計画では、ホームドアの整備目標として、令和７(2025)年度までに全国の鉄軌道駅全体で3,000番線、うち平均的な利用者数が10万人以上/日の駅で800番線を整備することとされ、首都圏では、それぞれの目標に対し、1,207番線、372番線が整備されている（令和５(2023)年３月時点）。また、同計画ではソフト面での対策強化として、交通事業の現場において全ての事業従事者や利用者が高齢者、障害者等の困難を自らの問題として認識するよう、「心のバリアフリー」の用語の認知度向上が目標として位置づけられている。

(空港へのアクセス強化)

首都圏空港への鉄道によるアクセスの改善については、交通政策審議会答申「東京圏における今後の都市鉄道のあり方について」（平成28(2016)年４月）において、具体的な空港アクセスの向上に資するプロジェクトの検討結果として、以下の事業が示されている。

①都心直結線の新設（押上～新東京～泉岳寺）

②羽田空港アクセス線の新設（田町駅付近・大井町駅付近・東京テレポート～東京貨物ターミ

ナル付近～羽田空港）及び京葉線・りんかい線相互直通運転化（新木場）
③新空港線の新設（矢口渡～蒲田～京急蒲田～大鳥居）
④京急空港線羽田空港国内線ターミナル駅引上線の新設

このうち、②の新線区間（東京貨物ターミナル～羽田空港）に関して、令和5(2023)年3月、国土交通省は、鉄道事業法（昭和61年法律第92号）に基づき、東日本旅客鉄道株式会社（以下「JR東日本」という。）に対して、工事の施行の認可を行い、同年6月には、JR東日本が工事に着手した。加えて、空港整備事業として、JR東日本羽田空港アクセス線の鉄道基盤施設（トンネル躯体等）整備に本格着工したほか、引き続き、京急空港線羽田空港第1・第2ターミナル駅引上線の鉄道基盤施設整備に必要な歩行者通路の切回し工事を実施している。

（2）情報通信体系の整備

（情報通信基盤等の整備）

国内では、5Gの利用可能エリアが広がるなど、インターネットの利用に係るデジタルインフラの整備が進められている。総務省の令和4年通信利用動向調査によれば、首都圏のインターネット利用者の割合は約87%となっている（全国では約85%）。利用目的は、SNS（無料通話機能を含む）の利用、電子メールの送受信、情報検索で7割を超えている。

また、地域活性化や災害時の通信手段として、総務省の「防災等に資するWi-Fi環境の整備計画」を基に地方公共団体の公的拠点（博物館、都市公園等）や防災拠点等においてWi-Fi環境が整備され、首都圏では9割以上が整備済となっている。

さらに、デジタル社会においては、データを蓄積・処理するデータセンターの整備が重要となっている。データ量の増大に伴い、日本も含めて国際的にデータセンターへの投資が活況となっているが、データセンターの立地状況は、6割程度が東京圏に集中している。一方で、東京圏が大震災等で被災した場合、全国規模で通信環境に多大な影響が生じる可能性があることも踏まえ、災害に対する通信ネットワークの強靱化等の観点から、データセンターの分散立地を政策として推進するため、総務省が令和4(2022)年3月に公表した「デジタル田園都市国家インフラ整備計画」（令和5(2023)年4月改訂）においては、地方データセンター拠点を経済産業省と連携して5年程度で整備するとしている。

（テレワークの推進）

令和5(2023)年も、引き続き東京圏を中心にテレワークが実施されており、東京23区におけるサテライトオフィス等の供給も増加している（図表3-7）。また、その約6割が都心5区（千代田区、中央区、港区、渋谷区、新宿区）に立地している。

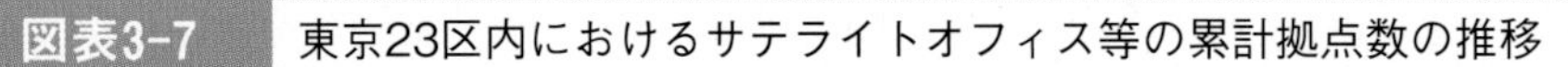

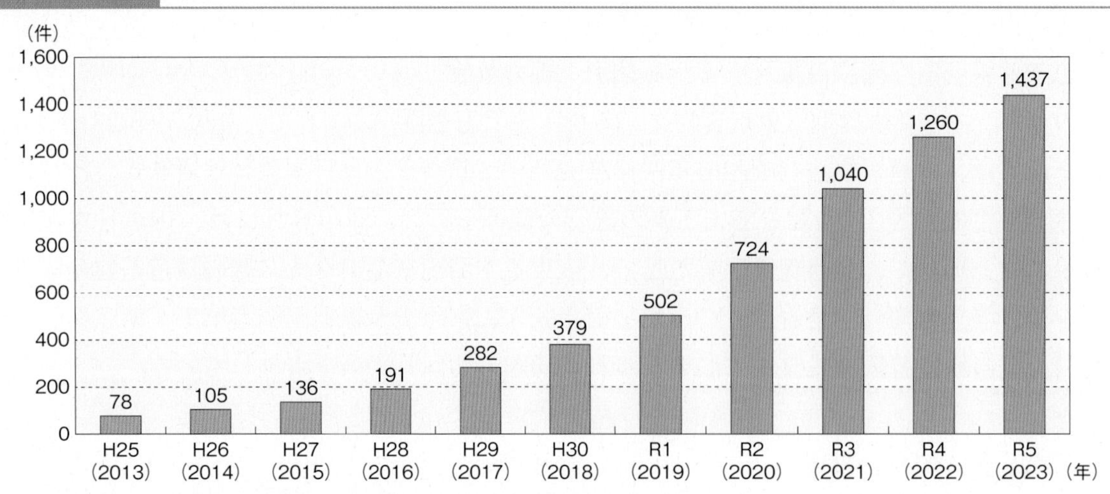

注１：詳細はフレキシブルオフィス市場調査2023、フレキシブルオフィス市場調査2024
https://soken.xymax.co.jp/2023/02/07/2302-flexible_office_survey_2023/
https://soken.xymax.co.jp/2024/03/12/2403-flexible_office_survey_2024/
注２：令和５年度は調査手法を一部変更したため、過去調査との単純比較はできない。
資料：「フレキシブルオフィス市場調査2023」「フレキシブルオフィス市場調査2024」（株式会社ザイマックス不動産総合研究所）を基に国土交通省国土政策局作成

（３）水供給体系の整備

（水資源開発の状況）

首都圏の水がめといわれる利根川水系及び荒川水系については、産業の開発又は発展及び都市人口の増加に伴い広域的な用水対策を緊急に実施する必要があることから、水資源開発促進法（昭和36年法律第217号）に基づき、昭和37(1962)年４月に利根川水系が、昭和49(1974)年12月に荒川水系が水資源開発水系として指定された。両水系では、「利根川水系及び荒川水系における水資源開発基本計画」に基づき、安定的な水利用に向けた施策が進められており、令和３(2021)年５月には、水供給に影響が大きいリスク（危機的な渇水等）が供給目標に追加されるなど、従来の需要主導型の「水資源開発の促進」からリスク管理型の「水の安定供給」へ向けた水資源開発基本計画へと、抜本的に見直された。

また、ダム等の水資源開発施設の建設や既存施設の耐震対策、老朽化対策等により、用水の安定供給が図られている。平成26(2014)年度からは、利根大堰をはじめ、事前に地震対策を講ずる必要のある施設について、それぞれの構造や条件に応じた耐震補強工事を実施し、被害の未然防止や安定通水の確保を図ることを目的に、「利根導水路大規模地震対策事業」として、利根大堰施設では堰柱・門柱・ゲート設備等の耐震補強、樋管の耐震補強、管理施設の耐震対策等が行われ、令和６(2024)年３月にはその完工式が開催された（図表3-8）。

図表3-8　利根導水路大規模地震対策事業完工式

資料：独立行政法人水資源機構提供

（普及状況等）

水道の普及率は、令和４(2022)年度において首都圏で98.8%となっており、全国に比べて高い水準になっている（図表3-9）。

首都圏の工業用水の１日当たり用水使用量（回収水及び海水を除く）は、令和２(2020)年は大きく増加したが、平成24(2012)年以降減少傾向にあり、令和３(2021)年には412万㎥となった（図表3-10）。

図表3-9　水道普及率の推移

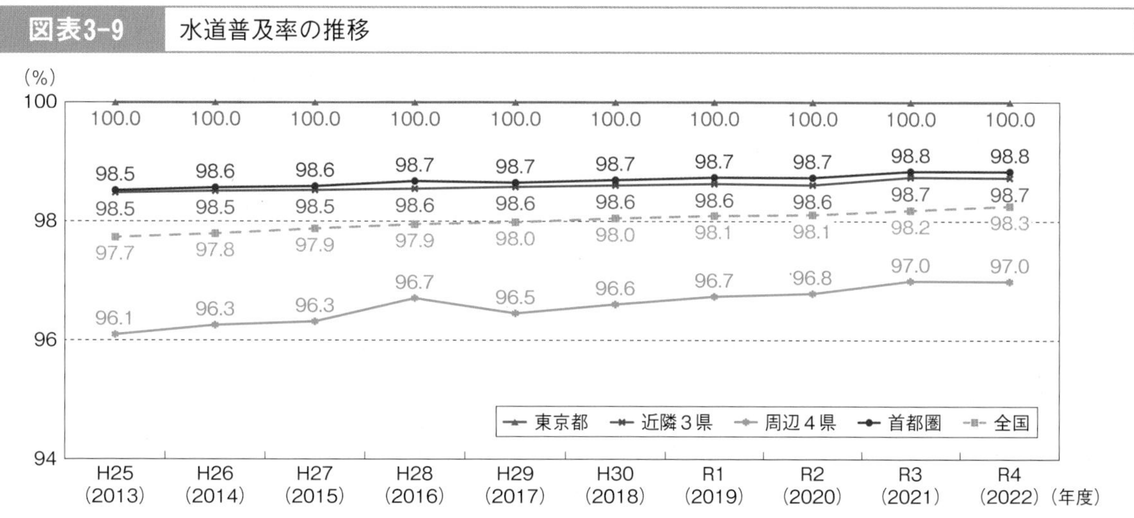

資料：「現在給水人口と水道普及率」（厚生労働省）を基に国土交通省国土政策局作成

図表3-10　工業用水量の推移

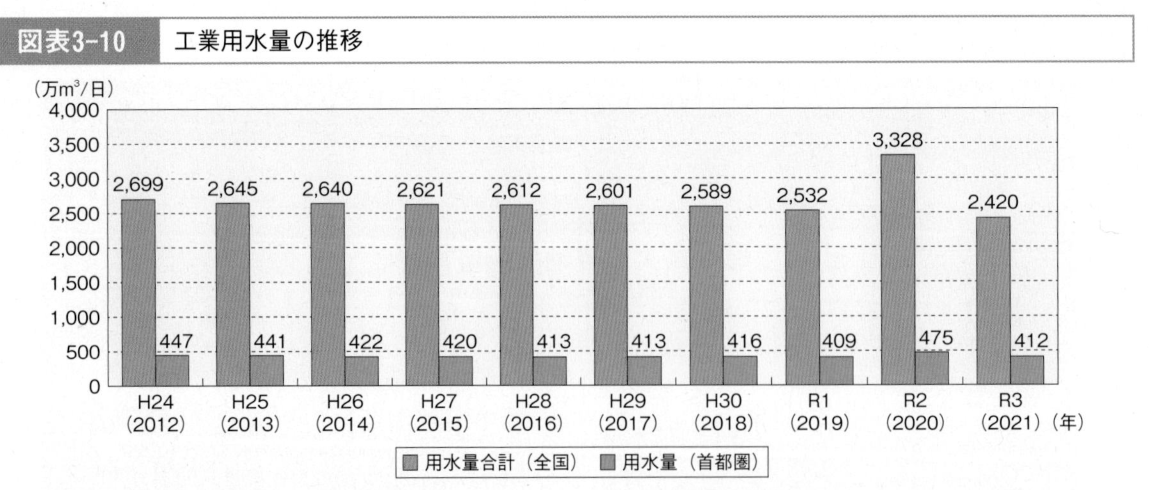

注１：従業者30人以上の製造事業所における工業用水の１日当たり用水使用量（回収水及び海水を除く。）
注２：平成27(2015)年については「平成28年経済センサス-活動調査」、令和２(2020)年については「令和３年経済センサス-活動調査」による。
資料：「工業統計調査」（経済産業省）、「平成28年経済センサス-活動調査」、「令和３年経済センサス-活動調査」（総務省・経済産業省）、「経済構造実態調査（製造業事業所調査）」（総務省・経済産業省）を基に国土交通省国土政策局作成

（４）下水道・廃棄物処理体系の整備

（下水道）

首都圏の下水道処理人口普及率は、全国と比較して高い状況であり、令和４(2022)年度末時点では87.1％であり、東京都においては100％に近い水準となっている（図表3-11）。

図表3-11　下水道処理人口普及率の推移

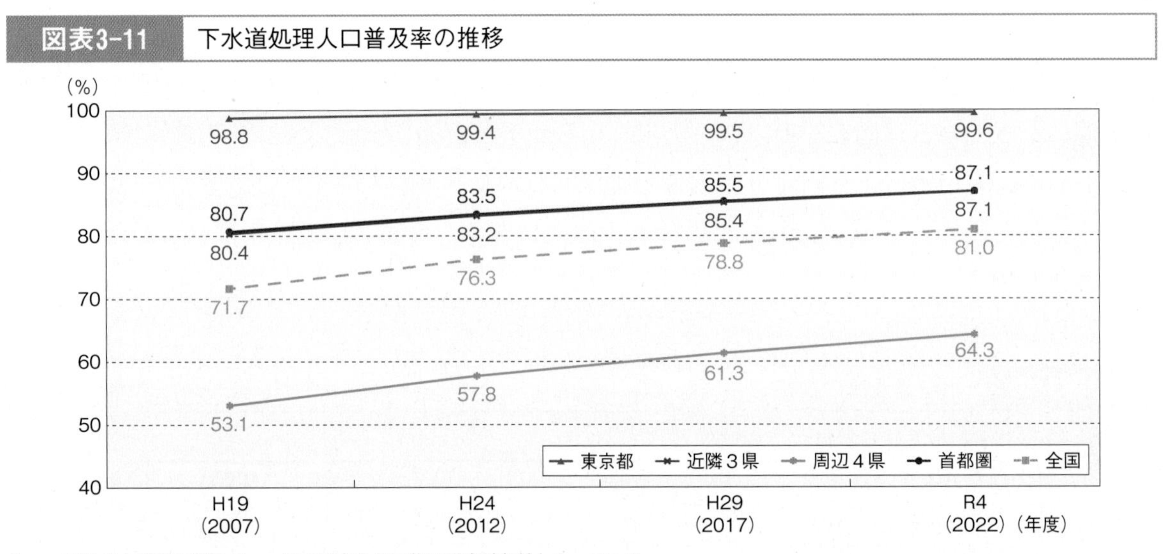

注　：東日本大震災の影響で、一部の地方公共団体は調査対象外となっている。
資料：「汚水処理人口普及状況について」（農林水産省、国土交通省、環境省）を基に国土交通省国土政策局作成

下水道に加え、農業集落排水施設や合併処理浄化槽等も含めた汚水処理人口普及率を見ると、首都圏の普及率は全国に比べ高く、特に東京都は非常に高い水準にあるが、周辺４県は全国よりも低い状況にある。処理施設別の普及率を見ると、東京都及び近隣３県は全国に比べ、特に下水道の普及率が高い一方、周辺４県は、全国に比べ下水道の普及率は低いものの、農業集落排水施設や合併処理浄化槽の普及率が高い状況となっている（図表3-12）。

図表3-12　汚水処理人口普及率（令和4（2022）年度末現在）

	人口（千人）	汚水処理人口（千人）				
			下水道	農業集落排水	合併処理浄化槽	コミュニティ・プラント
全国	125,065 (100.0%)	116,242 (92.9%)	101,280 (81.0%)	3,018 (2.4%)	11,784 (9.4%)	160 (0.1%)
首都圏	44,294 (100.0%)	42,084 (95.0%)	38,594 (87.1%)	498 (1.1%)	2,950 (6.7%)	44 (0.1%)
東京都	13,870 (100.0%)	13,846 (99.8%)	13,816 (99.6%)	2 (0.0%)	26 (0.2%)	2 (0.0%)
近隣３県	22,897 (100.0%)	21,693 (94.7%)	19,941 (87.1%)	137 (0.6%)	1,607 (7.0%)	9 (0.0%)
周辺４県	7,527 (100.0%)	6,545 (87.0%)	4,837 (64.3%)	359 (4.8%)	1,317 (17.5%)	33 (0.4%)

注　：汚水処理人口の合計が一致しないのは、四捨五入の関係による。
資料：「汚水処理人口普及状況について」（農林水産省、国土交通省、環境省）を基に国土交通省国土政策局作成

（産業廃棄物の状況）

首都圏では、産業廃棄物は都県域を越え、他の地方公共団体に移動させて中間処理・最終処分している。令和４(2022)年度における首都圏の搬出量は約1,878万トンとなっており、特に東京都が多く（約922万トン）、首都圏の約49.1％を占める（図表3-13）。

図表3-13　首都圏の都県域を超えた産業廃棄物の搬出量（令和４(2022)年度）

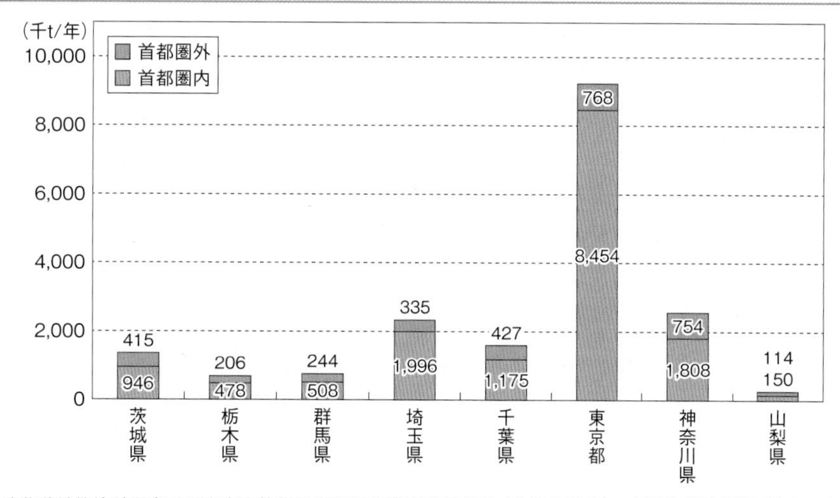

資料：「廃棄物の広域移動対策検討調査及び廃棄物等循環利用量実態調査報告書（令和５年度）、広域移動状況編（令和４年度実績）」（環境省）を基に国土交通省国土政策局作成

（５）インフラ老朽化対策

我が国のインフラの多くは、高度経済成長期以降に集中的に整備されており、加速度的に進行する老朽化への対応が急務となっている。また、令和６(2024)年１月に発生した能登半島地震のような大規模地震や、激甚化・頻発化する自然災害に対応することが求められるなかで、防災・減災のため、また、インフラが持つ機能を将来にわたって適切に発揮させるためには、平素から戦略的なメンテナンスを行っていくことが求められる。

多くのインフラは地方公共団体が管理しており、国のみならず、地方公共団体等も含めた大きな課題である。例えば、首都圏の道路橋梁（橋長２m以上）については、令和５(2023)年３

月末時点で、９割以上が地方公共団体の管理であり、緊急又は早期に措置を講ずべき状態の橋梁も多く存在する（図表3-14）。また、首都高速道路については、交通量が多く過酷な使用状況にあり、老朽化に対して長期の安全・安心を確保するため、維持管理上の問題等を精査しながら、大規模更新・大規模修繕が実施されている。必要な社会資本整備とのバランスを取りながら、いかに戦略的に維持管理・更新等を行っていくかが問われている。

図表3-14　首都圏の橋梁点検結果（地方公共団体管理分）の状況

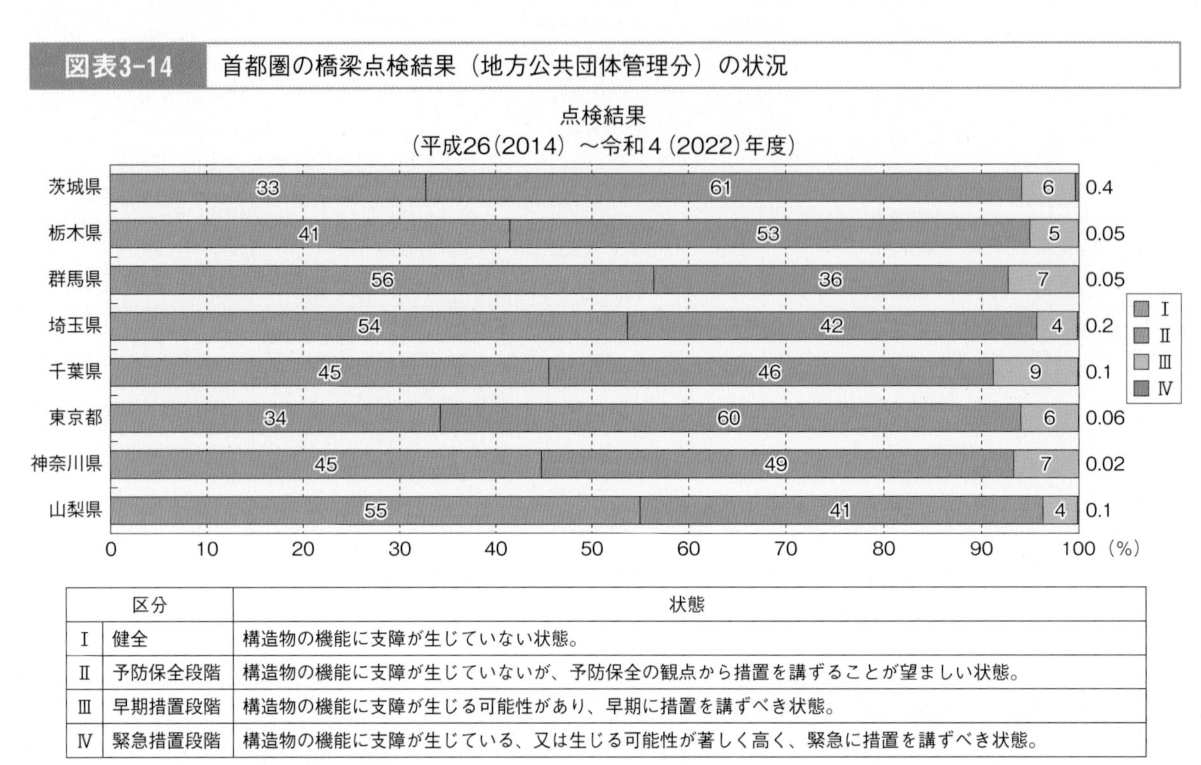

区分		状態
Ⅰ	健全	構造物の機能に支障が生じていない状態。
Ⅱ	予防保全段階	構造物の機能に支障が生じていないが、予防保全の観点から措置を講ずることが望ましい状態。
Ⅲ	早期措置段階	構造物の機能に支障が生じる可能性があり、早期に措置を講ずべき状態。
Ⅳ	緊急措置段階	構造物の機能に支障が生じている、又は生じる可能性が著しく高く、緊急に措置を講ずべき状態。

資料：「道路メンテナンス年報」（国土交通省）

国や地方公共団体等における今後の取組の全体像として、平成25（2013）年11月に決定された「インフラ長寿命化基本計画」に基づき、各インフラの管理者等によりインフラ長寿命化行動計画（地方公共団体においては、「公共施設等総合管理計画」にて代替可能）が策定されている。これまでに全14府省庁で行動計画が策定され、国土交通省が令和３（2021）年６月に策定した第２次「国土交通省インフラ長寿命化計画（行動計画）」（図表3-15）では、「防災・減災、国土強靱化のための５か年加速化対策」も活用した予防保全型インフラメンテナンスへの本格転換や、新技術・官民連携手法の普及促進等によるインフラメンテナンスの生産性向上、集約・再編等によるインフラストック適正化などの取組を推進していくこととしている。そういった中で、多くの地方公共団体では、適切なメンテナンスを進める上で体制面・予算面に課題を抱えている。このような状況も踏まえ、国土交通省では、新技術活用などのメンテナンスの効率化に向けた取組を進めるとともに、各地方公共団体が個々のインフラを管理するのではなく、広域・複数・多分野のインフラを群としてとらえ、効率的・効果的にマネジメントを行う「地域インフラ群再生戦略マネジメント（群マネ）」（図表3-16）を推進し、持続可能なインフラメンテナンスの実現を図っていくこととしている。

図表3-15　国土交通省インフラ長寿命化計画（行動計画）の概要

国土交通省インフラ長寿命化計画（行動計画） 令和3年度～令和7年度　概要

○「国民の安全・安心の確保」「持続可能な地域社会の形成」「経済成長の実現」の役割を担うインフラの機能を、将来にわたって適切に発揮させる必要
○メンテナンスサイクルの核となる個別施設計画の充実化やメンテナンス体制の確保など、インフラメンテナンスの取組を着実に推進
○更に、「防災・減災、国土強靭化のための５か年加速化対策(令和２年12月11日閣議決定)」等による**予防保全への本格転換**の加速化や、**メンテナンスの生産性向上の加速化、インフラストック適正化の推進**等により、**持続可能なインフラメンテナンスの実現**を目指す

●計画の範囲

【対象施設】国土交通省が制度等を所管する全ての施設
【計画期間】令和３年度～令和７年度（2021年度～2025年度）

●中長期的な維持管理・更新等のコストの見通し

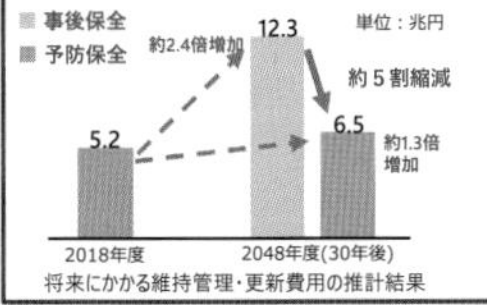

将来にかかる維持管理・更新費用の推計結果

・予防保全型インフラメンテナンスにより将来にかかる維持管理・更新費用を縮減
⇒予防保全型インフラメンテナンスの取組の徹底が重要

●これまでの取組と課題　※平成26年5月策定の国土交通省インフラ長寿命化計画に基づき、以下の取組を実施

■メンテナンスサイクルの構築
・個別施設計画の策定　・計画内容の見える化　・点検実施によるインフラ健全性の把握
・点検要領の改定　・法令等の整備　等
⇒地方公共団体管理施設も含めインフラメンテナンスのサイクル構築が図られたと評価

■将来にかかる維持管理・更新費の抑制
・修繕等の措置への財政的支援　・集約・再編に関する事例集等の作成　等
⇒早期に措置が必要なインフラが多数残存、機械設備をはじめ耐用年数が到来するインフラの存在

■メンテナンスの生産性向上
・広域的な連携の促進（情報提供の場の構築、地域一括発注の取組等）　・官民連携手法の導入促進
・維持管理に関する資格制度の充実　・維持管理情報データベース化、施設管理者間・分野間でのデータベース連携
・新技術の開発・導入推進　・管理者ニーズと技術シーズのマッチング　等
⇒多くのインフラを管理する地方公共団体等ではメンテナンスに携わる人的資源が依然不足

●今後の取組の方向性　■目指すべき姿　*持続可能なインフラメンテナンスの実現*

■計画期間内に重点的に実施すべき取組

Ⅰ.計画的・集中的な修繕等の確実な実施による「予防保全」への本格転換
「防災・減災、国土強靭化のための5か年加速化対策」により取組を加速化（概ね1.5兆円程度）
・予防保全の管理水準を下回る状態となっているインフラに対して、計画的・集中的な修繕等を実施し機能を早期回復

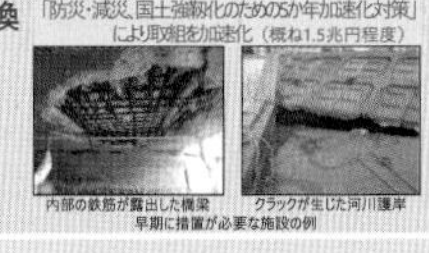
内部の鉄筋が露出した橋梁　クラックが生じた河川護岸
早期に措置が必要な施設の例

Ⅱ.新技術・官民連携手法の普及促進等によるインフラメンテナンスの生産性向上の加速化
・地方公共団体等が適切かつ効率的なインフラメンテナンスの実施に資するため、新技術や官民連携手法の導入を促進

ドローンを活用した砂防関係施設点検

Ⅲ.集約・再編やパラダイムシフト型更新等のインフラストックの適正化の推進
・社会情勢の変化や利用者ニーズ等を踏まえたインフラの集約・再編や、来たるべき大更新時代に備えた更新時におけるパラダイムシフトの検討等を推進

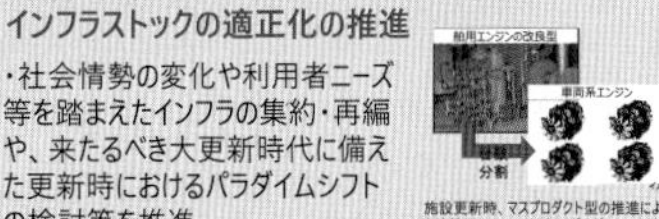

施設更新時、マスプロダクト型の推進により維持管理コストの縮減・リダンダンシーを確保

■具体的取組の例

1．個別施設計画の策定・充実
・定期的な計画更新の促進
・計画内容の充実化　等

2．点検・診断／修繕・更新等
・早期に措置が必要なインフラへの集中的な対応による機能回復
・マスプロダクツ型排水ポンプの技術開発
・集約・再編に関する事例集等の作成・周知　等

3．予算管理
・メンテナンスの取組に対する地方公共団体等への財政的支援　等

4．体制の構築
・研修等による技術力向上
・広域的な連携による維持管理体制の確保
・官民連携による維持管理手法の導入促進　等

5．新技術の開発・導入
・NETIS等の活用による技術研究開発の促進
・インフラメンテナンス国民会議等の活用による円滑な現場展開　等

6．情報基盤の整備と活用
・データベースの適切な運用、情報の蓄積・更新、発信・共有　等

7．基準類等の充実
・適切な運用、必要に応じて適時・適切な改定

●フォローアップ計画　・計画のフォローアップにより、進捗状況等を把握　・ホームページ等を通じた積極的な情報提供

資料：国土交通省HP　https://www.mlit.go.jp/sogoseisaku/maintenance/03activity/03_01_03.html

図表3-16　地域インフラ群再生戦略マネジメント（群マネ）の概要

地域インフラ群再生戦略マネジメント（群マネ）（R4.12.2社整審・交政審技術分科会技術部会より提言）

○市区町村が抱える課題を踏まえつつ、適確にインフラ機能を発揮させるためには、個別施設のメンテナンスのみならず「地域インフラ群再生戦略マネジメント（群マネ）」の考え方が重要。
○既存の行政区域に拘らない広域的な視点で、道路、公園、上下水道といった複数・多分野のインフラを「群」として捉え、更新や集約・再編、新設も組み合わせた検討により、効率的・効果的にマネジメントし、地域に必要なインフラの機能・性能を維持するもの。

群マネのイメージ

提言：https://www.mlit.go.jp/policy/shingikai/sogo03_sg_000214.html

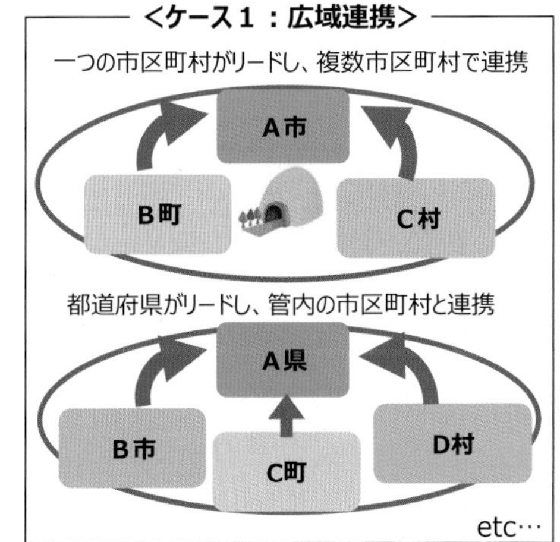

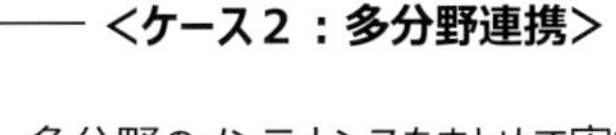

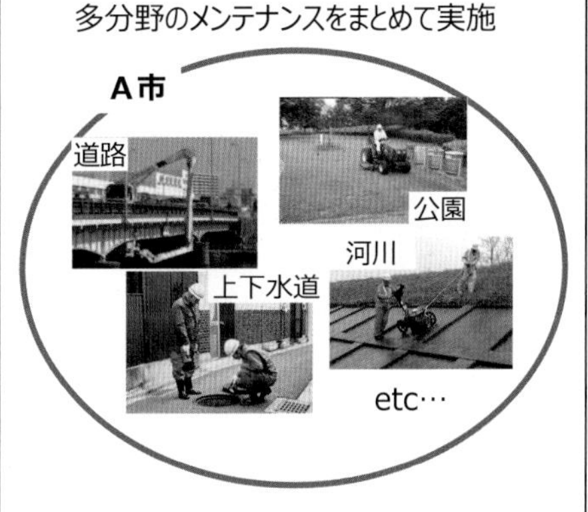

資料：国土交通省

2．関係人口の拡大

（集落機能の低下に対する取組）

首都圏の農山村地域は、過疎化・高齢化の進行に伴う集落機能の低下により、農地、水路、農道等の地域資源の保全管理が困難になってきている。そのような状況の中、「多面的機能支払交付金」を通じて、地域共同による地域資源の基礎的な保全管理活動や施設の長寿命化のための活動等が行われている（図表3-17）。

また、農林水産省では、農山漁村における「むらづくり」の優良事例を表彰し、その業績を広く紹介することを通じて、農山漁村におけるむらづくりの全国的な展開に繋げていくため、「豊かなむらづくり全国表彰事業」が実施されている。

令和５(2023)年度は、首都圏において、３件が農林水産大臣賞を受賞した。このうち石墨(いしずみ)棚田を起点とする地域活性化の取組を進めている沼田市の薄根(うすね)地域ふるさと創生推進協議会は、棚田オーナー制度の導入や、水路整備によるホタルの生息環境の保全・維持、棚田の再生とともに、復活した景観を活かしたホタル祭りの開催などの活動が評価された（図表3-18）。

図表3-17　首都圏等における多面的機能支払交付金の実施状況（令和４(2022)年度）

	農地維持支払交付金		資源向上支払交付金（地域資源の質的向上を図る共同活動）		資源向上支払交付金（施設の長寿命化のための活動）	
	対象組織数	取組面積（ha）	対象組織数	取組面積（ha）	対象組織数	取組面積（ha）
茨城県	690	42,642	473	31,054	279	18,756
栃木県	444	43,693	263	33,237	42	7,265
群馬県	276	18,833	211	15,410	153	12,956
埼玉県	379	18,891	229	11,446	87	4,887
千葉県	542	33,605	400	25,563	239	15,665
東京都	5	39	3	17	4	35
神奈川県	29	1,169	10	318	3	91
山梨県	201	7,521	182	7,193	116	4,447
首都圏	2,566	166,393	1,771	124,238	923	64,102
全国	25,967	2,318,259	20,570	2,071,001	11,237	789,230

注１：取組面積は、都道府県別面積の小数点以下を四捨五入している関係で、合計値と一致しない。
注２：令和５年３月31日現在の数値
資料：「令和４年度多面的機能支払交付金の実施状況」（農林水産省）を基に国土交通省国土政策局作成
https://www.maff.go.jp/j/nousin/kanri/r4jissi_joukyou.html

図表3-18　薄根地域ふるさと創生推進協議会による取組

棚田オーナーによる田植えの様子

カワニナの放流の様子

資料：農林水産省提供

(二地域居住等の取組)

近年、価値観の多様化や新型感染症の感染拡大によるテレワークの普及等の社会情勢の変化に伴い、多様なライフスタイル・ワークスタイルの選択が可能になってきており、大都市居住者の地方圏・農山漁村への居住など、住み方や働き方の多様化の動きが見られる。

なかでも、地方部と都市部等にそれぞれ暮らしの拠点を待つ「二地域居住」については、個人が多様なライフスタイルを選択することを可能とし、多様な働き方、住まい方、学び方等を実現するとともに、都市住民が農山漁村の他の地域にも同時に生活拠点を持つこと等によって、地域の活性化につながると期待されており、その促進を図ることは重要な課題となっている。令和３(2021)年３月に設立された「全国二地域居住等促進協議会[2]」には、首都圏では令和６(2024)年３月時点で132の地方公共団体が登録している。

例えば、首都圏では、埼玉県横瀬町において、町内・町外の交流を促進するため、JA直売所跡地を利活用し、町民と横瀬町に関わる人との交流拠点として「Area898（エリアはちきゅうはち)」を同町の官民連携プラットフォーム「よこらぼ」制度により町内外のボランティアで整備した。また、Area898に併設した形で、二地域居住者向けの宿泊施設や親子で利用可能なスペース「Area899（エリアはちきゅうきゅう)」が開設され、より町外の方と町民が交流し、地域の活動に積極的に参加するなど、新しい関係性が生まれている（図表3-19)。

また、二地域居住の促進を通じて、地方への人の流れの創出・拡大を図ることを目的とした広域的地域活性化のための基盤整備に関する法律の一部を改正する法律(令和６年法律第31号)が令和６(2024)年５月に成立した。今後、「二地域居住」の普及・定着等を通じた、地方への人の流れの創出・拡大が期待される。

図表3-19　オープン＆フレンドリースペース「Area898」

資料：横瀬町提供

(離島振興の取組)

離島は、我が国の領域や排他的経済水域の保全、自然・文化の継承などの重要な役割を担っている。一方で、人口減少、高齢化が加速するなど、その状況は依然厳しく、医療・介護、教育、交通など、様々な分野で課題を抱えている。

首都圏における離島としては、離島振興法（昭和28年法律第72号）に基づく振興の対象となる東京都の伊豆諸島（人口21,532人[3]）及び小笠原諸島振興開発特別措置法（昭和44年法律第

2）詳細は全国二地域居住等促進協議会HP　https://www.mlit.go.jp/2chiiki/index.html

79号）に基づく振興開発の対象となる小笠原諸島（人口2,561人[4)]）がある。令和４(2022)年11月に離島振興法が延長・改正され、同法に基づき、離島の自立的発展を促進し、島民の生活安定・福祉向上を図るとともに、地域間交流を促進し、人が住んでいない離島の増加及び人口の著しい減少を防止するための取組を行っている。また、令和６(2024)年３月に小笠原諸島振興開発特別措置法が延長・改正され、同法に基づき、小笠原諸島の自立的発展、住民の生活の安定及び福祉の向上並びに小笠原諸島への移住・定住を促進するための取組を行うこととしている。

図表3-20　村営学生寮「しらすな寮」

資料：神津島村提供

各島では様々な事業を行っており、例えば、東京都神津島村では島外からの高校生を受け入れる離島留学を進めており、令和５(2023)年度は、離島活性化交付金を活用して、村営学生寮の運営を行い13名の離島留学生を受け入れている（図表3-20）。

3)「令和２年国勢調査」（総務省）に基づく２町６村（９島）の人口の合計
4)「令和２年国勢調査」（総務省）に基づく小笠原村（父島・母島）の人口

国際競争力の強化

１．国際的な港湾・空港機能の強化等

（１）航空輸送体系の整備

（都市間競争力アップにつながる羽田・成田両空港の強化）

我が国のビジネス・観光両面における国際競争力を強化するため、我が国の成長の牽引車となる首都圏空港（東京国際空港（羽田空港）、成田国際空港（成田空港））の機能強化が必要である。

両空港の年間旅客数は令和２(2020)年に新型感染症の影響により大きく落ち込んだが、令和５(2023)年には羽田空港で7,831万人、成田空港で3,118万人となり、前年比でそれぞれ約1.6倍、約2.3倍に増加した（図表4-1）。

また、新型感染症収束後の需要回復を見据え、訪日外国人旅行者の受入拡大、我が国の国際競争力の強化等の観点から、現在の約83万回である首都圏空港の年間合計発着容量を、約100万回まで増加させる取組が進められている。

図表4-1　羽田・成田空港の年間旅客数と発着枠数（各年12月末日時点）

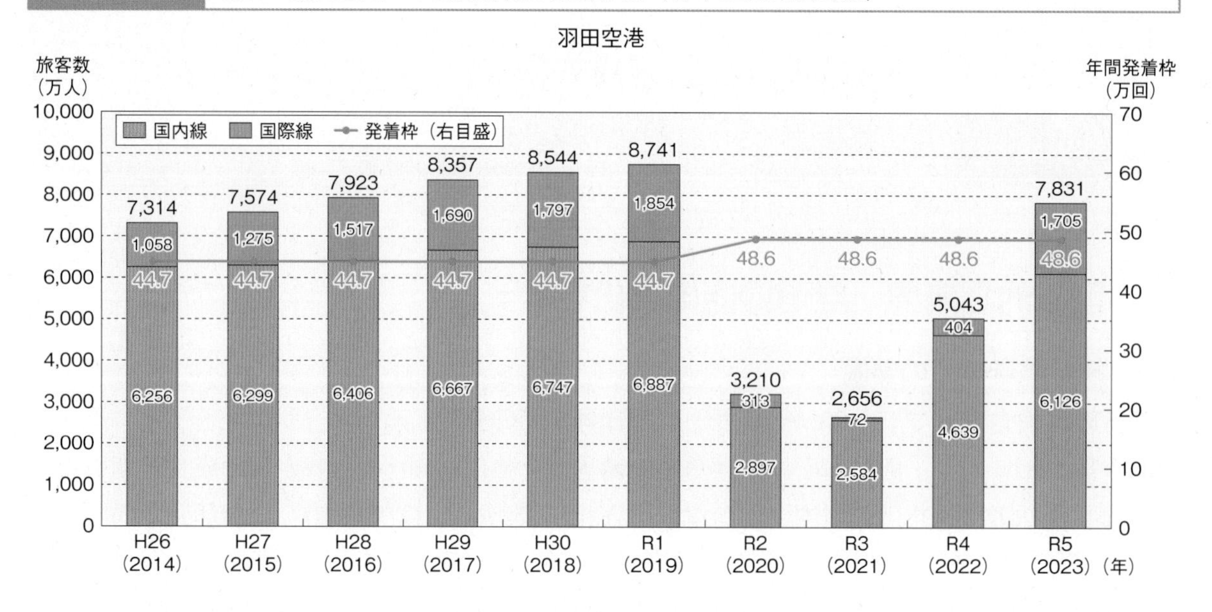

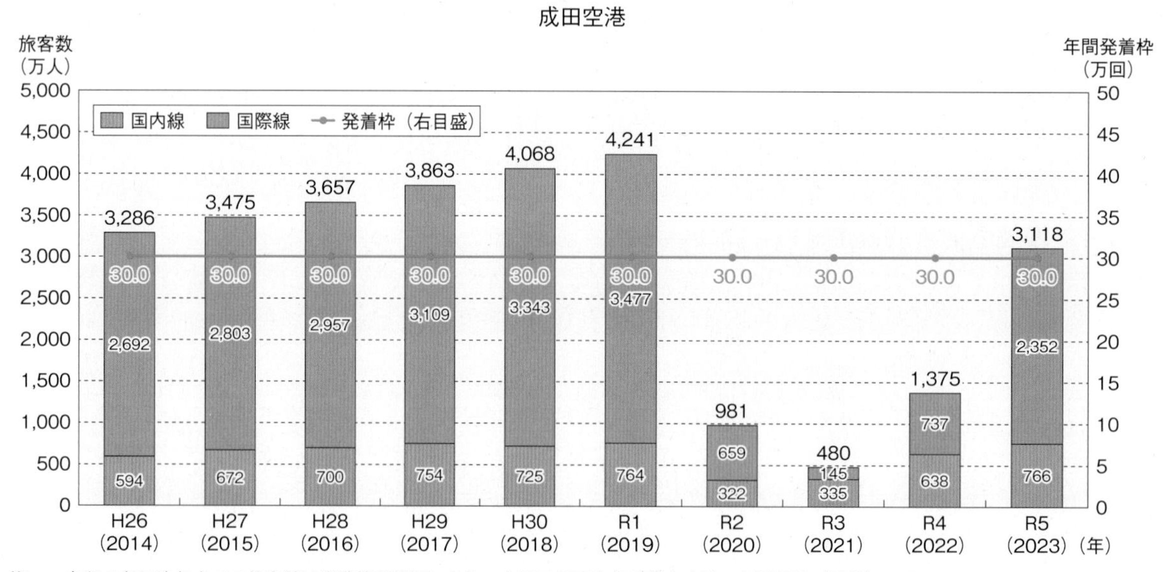

注　：令和４(2022)年までの旅客数は空港管理状況により、令和５(2023)年は管内空港の利用概況（速報）による。
資料：国土交通省

（羽田空港の整備）

羽田空港においては、我が国の国際競争力の強化を主眼として、令和２(2020)年３月29日から新飛行経路の運用が開始され、年間発着容量が約49万回まで拡大されている。新飛行経路の運用開始後は、騒音対策・落下物対策や、丁寧な情報提供が行われているほか、関係自治体等から騒音軽減や新飛行経路の固定化回避に関する要望があることを踏まえ、国土交通省において「羽田新経路の固定化回避に係る技術的方策検討会」が開催されている。令和４(2022)年８月の検討会では、飛行方式に関する技術的検証の進捗状況や今後のスケジュール等について報告がなされており、引き続き、安全性評価等の必要な取組が進められている。

上記に加えて、令和５(2023)年度には、空港アクセス鉄道の基盤施設整備、国内線・国際線の乗り継ぎ利便性向上のための人工地盤の整備、旧整備場地区の再編整備等を引き続き実施した。また、引き続き、地震発生後も航空ネットワークの機能低下を最小限にとどめるための滑走路等の耐震性の強化及び防災・減災に向けた護岸等の整備が実施された（図表4-2）。

図表4-2　羽田空港の整備

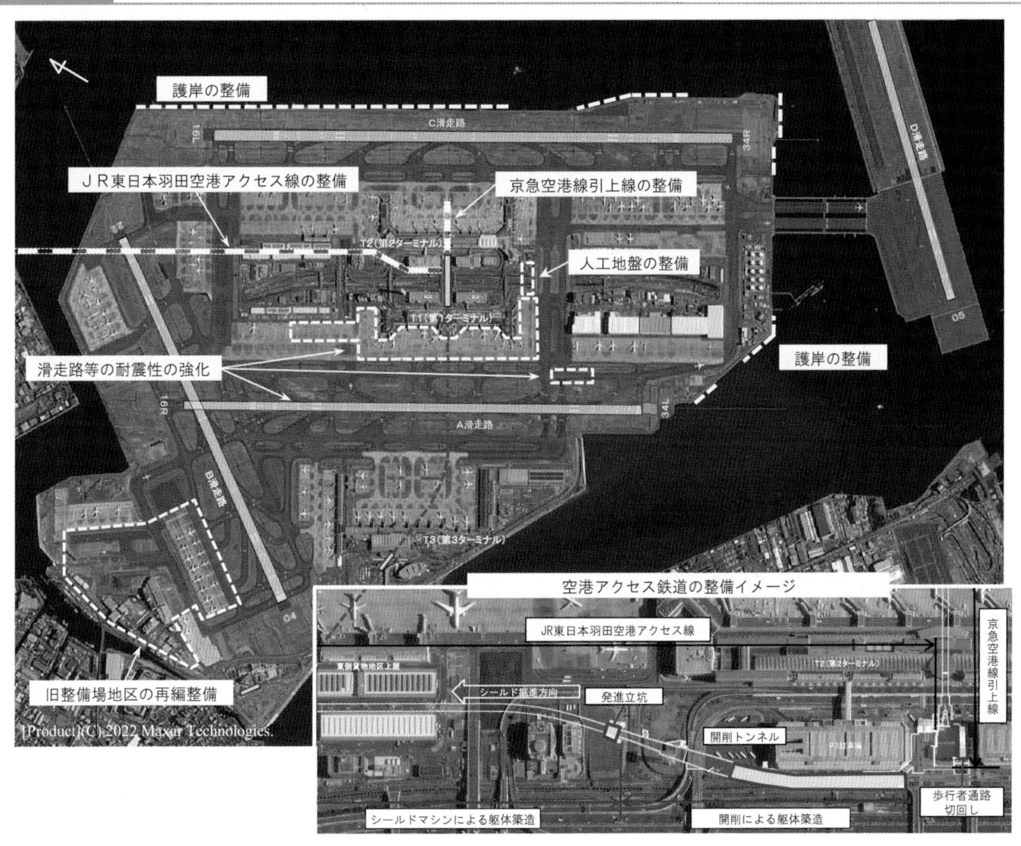

資料：国土交通省

（成田空港の整備）

成田空港においては、地域との共生・共栄の考え方のもと、C滑走路新設等の年間発着容量を約50万回に拡大する取組を進めるとともに、空港会社において旅客ターミナルの再構築や航空物流機能の高度化等の検討が進められている（図表4-3）。

図表4-3　成田空港の施設計画

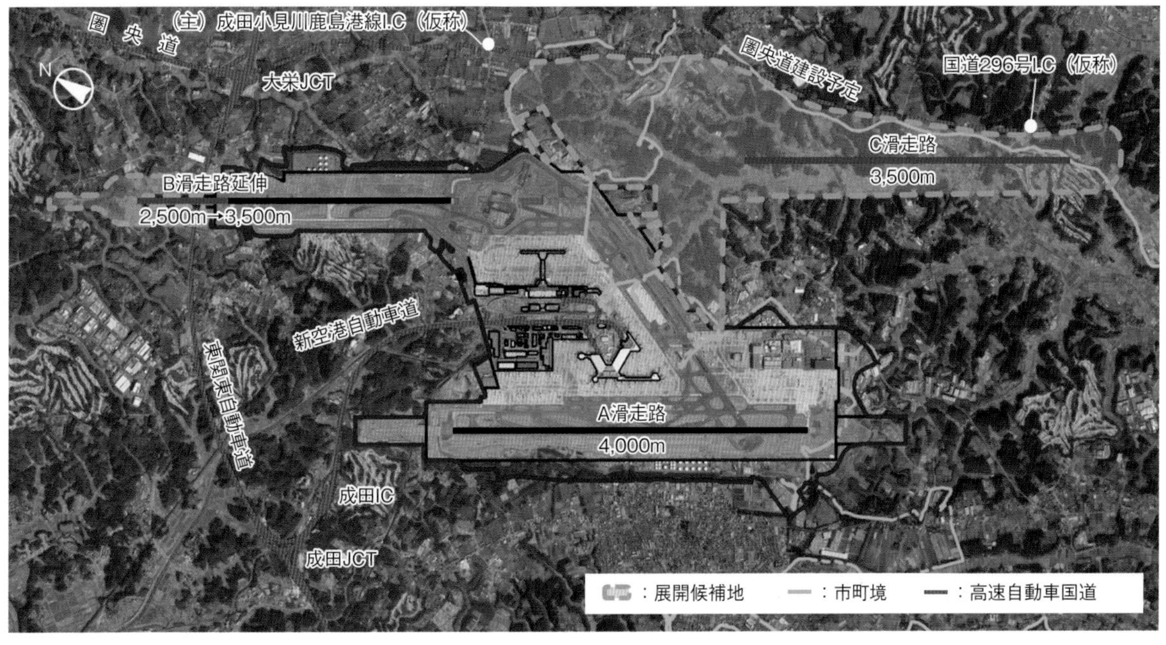

資料：国土交通省

（2）海上輸送体系の整備

（コンテナ取扱状況）

首都圏の港湾は、上海、香港をはじめとする中国諸港やシンガポールといったアジア諸国の港湾のコンテナ取扱貨物量が飛躍的に増加している中で、コンテナ取扱貨物量自体は長期的には増加しているものの、相対的な地位を低下させている（図表4-4）。国際物流の大動脈たる基幹航路ネットワーク（北米航路、欧州航路といった大型コンテナ船が投入される航路）を維持していくためには、港湾機能の強化等により、国際競争力の向上を図ることが必要である。

図表4-4　コンテナ取扱貨物量ランキング

（単位：万TEU）

1980年

	港　名	取扱量
1	ニューヨーク	195
2	ロッテルダム（オランダ）	190
3	香港	147
4	神戸	146
5	高雄（台湾）	98
6	シンガポール	92
7	サンファン（プエルトリコ）	85
8	ロングビーチ（米国）	83
9	ハンブルグ（ドイツ）	78
10	オークランド（米国）	78
13	横浜	72
16	釜山（韓国）	63
18	東京	63
39	大阪	25

2022年（速報）

	港　名	取扱量
1	上海（中国）	4,730
2	シンガポール	3,729
3	寧波-舟山（中国）	3,335
4	深圳（中国）	3,004
5	青島（中国）	2,567
6	広州（中国）	2,486
7	釜山（韓国）	2,208
8	天津（中国）	2,102
9	香港（中国）	1,669
10	ロッテルダム（オランダ）	1,446
42	東京	493
70	横浜	298
72	神戸	289
78	名古屋	268
82	大阪	239

注１：内外貿を含む数字
注２：TEUとは国際標準規格（ISO規格）の20フィートコンテナを１として計算する単位
資料：国土交通省

（国際コンテナ戦略港湾）

我が国と欧州・北米等を結ぶ国際基幹航路の寄港を維持・拡大することにより、企業の立地環境を向上させ、我が国経済・産業の国際競争力を強化するため、京浜港等を国際コンテナ港湾として選定し、ハード・ソフト一体となった総合的な施策を実施してきた。令和３(2021)年５月に「国際コンテナ戦略港湾政策推進ワーキンググループ中間とりまとめ」を公表し、国際コンテナ戦略港湾である京浜港等に、国内外から貨物を集約する「集貨」、港湾背後への産業集積による「創貨」、大水深コンテナターミナル等の整備の推進等によるコストや利便性の面での「競争力強化」の３本柱の施策に加え、近年の社会的要請や技術の進歩を踏まえ、「カーボンニュートラルポート（CNP）の形成」、「港湾物流のDXの推進」、「安定したサプライチェーンの構築のための港湾の強靱化」も強力に推進し、世界に選ばれる港湾の形成を目指してきた。

令和５(2023)年２月には「新しい国際コンテナ戦略港湾政策の進め方検討委員会」を設置し、今後の国際コンテナ戦略港湾政策の政策目標や新たな戦略、個別施策について検討を行い、令和６(2024)年２月に、今後５年程度で取り組むべき施策の方向性等について最終とりまとめを行った。とりまとめに基づき、「集貨」「創貨」「競争力強化」の３本柱の取組について、引き続き、国が前面に立ち、港湾管理者、港湾運営会社などの関係者と一丸となって強力に推進している。

（京浜港の整備）

横浜港において、令和元(2019)年度より、「横浜港国際海上コンテナターミナル再編整備事業」として本牧ふ頭地区及び新本牧ふ頭地区で整備が進められている。基幹航路に就航する大型船の入港や、増加するコンテナ貨物の取扱いに適切に対応し、寄港する基幹航路の維持・拡大を図るもので、令和５(2023)年度は、本牧ふ頭地区及び新本牧ふ頭地区において、岸壁等の整備が進められている（図表4-5）。

また、京浜港の物流ネットワークを形成するため、川崎港東扇島～水江町地区臨港道路等の整備が進められている。川崎臨海部においては、JFEスチール株式会社東日本製鉄所京浜地区の高炉等の休止を受けて、JFEグループと川崎市が協議をしながら土地利用の検討を進め、令和５(2023)年８月に川崎市が「JFEスチール株式会社東日本製鉄所京浜地区の高炉等休止に伴う土地利用方針」、同年９月にJFEグループが土地利用構想「OHGISHIMA 2050」をそれぞれ取りまとめた。今後は、扇島地区をはじめとする400haを超える広大なフィールドにおいて、未来志向の土地利用を展開することにより、カーボンニュートラルと新たな産業創出の同時実現を目指し、このエリアが我が国におけるコンビナート再編のモデルケースとなるような取組を進めることとしている（図表4-6）。

図表4-5　横浜港国際海上コンテナターミナル再編整備事業（大水深コンテナターミナル）

資料：国土交通省関東地方整備局

図表4-6　扇島地区土地利用概成時のイメージ

資料：川崎市提供

(LNGバンカリング拠点の形成)

国際的な船舶の排出ガス規制強化に伴い、国土交通省は、LNG（液化天然ガス）燃料船の寄港の増加による国際競争力の強化や国内外の船舶のLNG燃料への転換を支援するため、首都圏の港湾においても、LNGバンカリング（船舶燃料としてLNGの供給を行うこと）拠点の形成促進に向けた取組を進めている。

外航コンテナ船やクルーズ船の寄港地となっている東京湾では「東京湾におけるSTS方式での船舶向けLNG燃料供給事業」の早期開始を目指し、LNGバンカリング船（LNG燃料船に燃料供給する船舶）の建造及び運航準備が進められている。

(クルーズ再興に向けた訪日クルーズ本格回復への取組)

クルーズについては、令和５(2023)年３月より本格的に国際クルーズの運航が再開し、首都圏においても運航が再開された。

クルーズの再興へ向け、「持続可能な観光」「消費額拡大」「地方誘客促進」をキーワードに、「観光立国推進基本計画（令和５(2023)年３月31日閣議決定)」で掲げた、日本におけるクルーズ再興に向けた令和７(2025)年までの目標である「訪日クルーズ旅客250万人」「外国クルーズ船の寄港回数2,000回超」「外国クルーズ船が寄港する港湾数100港」の達成へ向け、引き続き訪日クルーズ本格回復への取組を進める。具体的には、クルーズ船受入に関するハード・ソフト両面からの支援に加え、「全国クルーズ活性化会議」と連携した取組や、海外船社とのクルーズセミナー等を実施する。

2．日本中央回廊の形成

(リニア中央新幹線の整備)

リニア中央新幹線の開業等により、三大都市圏を約１時間で結ぶ「日本中央回廊」の形成による地方活性化、国際競争力強化を図っている。リニア中央新幹線の早期開業に向けて、建設主体である東海旅客鉄道株式会社による整備が着実に進められるよう、国は、建設主体と地方公共団体等と連携して環境整備を進めている。品川・名古屋間については、平成30(2018)年10月、国土交通大臣により、大深度地下の公共的使用に関する特別措置法（平成12年法律第87号）に基づく使用の認可が行われた。

首都圏では、リニア中央新幹線の始発駅となる品川駅のほか、神奈川県相模原市、山梨県甲府市（駅完成は令和13(2031)年となる見通し）に中間駅が計画され、リニア開業を見据えたまちづくりや地域活性化などの検討が進められている。甲府市では、令和５(2023)年11月に策定した「(仮称）リニア山梨県駅前エリアのまちづくり基本方針」を踏まえ、同月には「(仮称）リニア山梨県駅前エリアのまちづくり基本計画検討委員会」を設置し、基本方針の内容を具体化する、まちづくり基本計画の策定が進められている（図表4-7)。相模原市では、令和５(2023)年11月、橋本駅南口の周辺地区の目指す「まちの将来像」及び「まちづくりの誘導方針」などを定める「相模原市リニア駅周辺まちづくりガイドライン」が策定された。

図表4-7　(仮称）リニア山梨県駅前エリアのまちづくり基本方針（概要版）

資料：甲府市提供

３．洗練された首都圏の構築

(１) 広域的な観光振興に関する状況

(観光立国の推進)

日本政府観光局（JNTO）によると、令和５(2023)年の訪日外国人旅行者数は約2,507万人となり、令和４(2022)年６月より観光目的の入国受入れの再開や段階的な水際措置の緩和がなされ、令和４(2022)年10月には本格的な受入れが再開されたため、前年と比較し回復傾向であるが、新型感染症の感染拡大以前の令和元(2019)年と比較すると約21％減となっている。

また、宿泊旅行統計調査によると、首都圏における令和５(2023)年の外国人延べ宿泊者数は、全国約１億1,434万人泊のうち約5,102万人泊となっており、その約８割が東京都で約4,273万人泊となっている（図表4-8）。

図表4-8　外国人延べ宿泊者数の推移

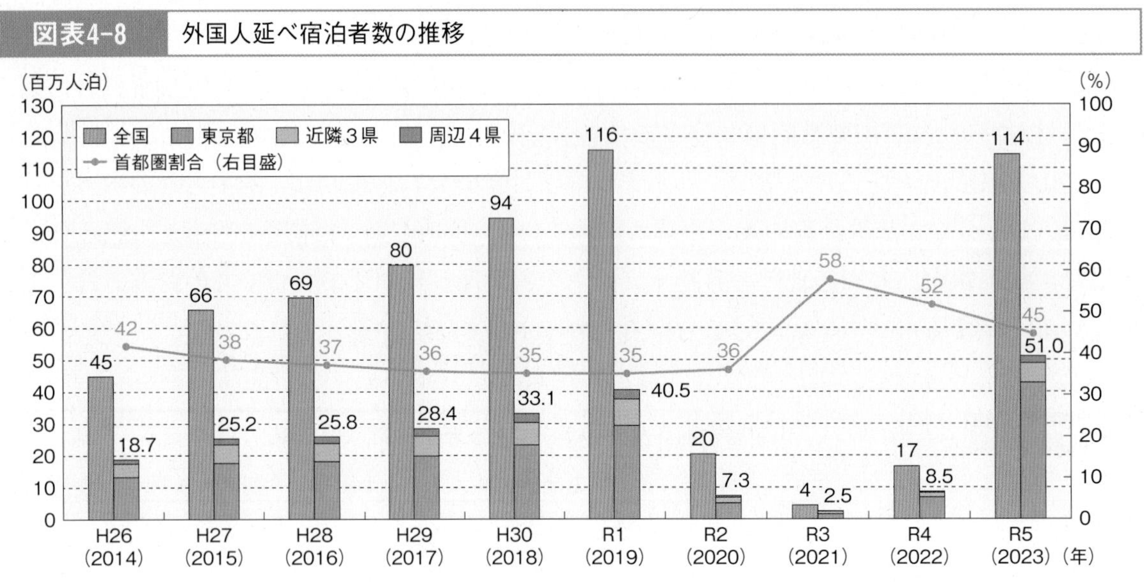

資料：「宿泊旅行統計調査」（観光庁）を基に国土交通省国土政策局作成

（広域的な観光振興）

首都圏は、東京周辺のリング上のエリア（首都圏広域リング）に、国際観光の資源となり得る多様で多彩な自然や歴史、文化を擁しており、東京に一極集中するインバウンド観光を、この首都圏広域リングに分散させていく必要がある。

観光庁では、訪日外国人旅行者等の地方部での滞在促進のための地域周遊観光促進事業（観光地域づくり法人（DMO）が中心となった調査・戦略策定、滞在コンテンツの充実、受入環境整備、情報発信・プロモーション等）に取り組んでいる。令和５(2023)年度は、首都圏１都７県で事業が実施され、例えば群馬県みなかみ町ではサイクリングやラフティング等の体験コンテンツの磨き上げ及び販売に対する支援が行われた。

４．都市再生施策等の進捗状況

（１）都市再生緊急整備地域の指定等

都市再生特別措置法に基づき、都市開発事業を通じて緊急かつ重点的に市街地の整備を推進すべき地域（都市再生緊急整備地域）、及び都市再生緊急整備地域のうち都市の国際競争力の強化を図る上で特に有効な地域（特定都市再生緊急整備地域）の指定が順次行われている。首都圏における都市再生緊急整備地域は、令和５(2023)年度末までに20地域（うち特定都市再生緊急整備地域７地域）が指定されている。

都市再生緊急整備地域に指定された地域では、都市再生の実現に向けたプロジェクトが着実に進められており、国土交通大臣が認定する優良な民間都市再生事業計画は、税制上の特例措置等を受けることができる。首都圏では、令和５(2023)年度に横浜市の「(仮称）北仲通北地区Ａ１・２地区」等が新たに追加されるなど、合計で104件の計画が認定を受けている（図表4-9)。(仮称）北仲通北地区Ａ１・２地区は、令和８(2026)年完成予定となっており、高水準な宿泊機能やMICE誘致可能な大型バンケットを有するホテルと、ハイグレードな住戸を供給することにより国際的なビジネス拠点の形成、ペデストリアンデッキ（歩行者専用の上空通路）、水際線プロムナード（水際の遊歩道）の整備による、北仲通北地区全体の回遊性を向上、広場を整備し、マルシェや住民発案のイベントの開催を通じた、魅力的な観光・賑わい拠点の創出等を図るとしている。

図表4-9　（仮称）北仲通北地区Ａ１・２地区計画の完成イメージ

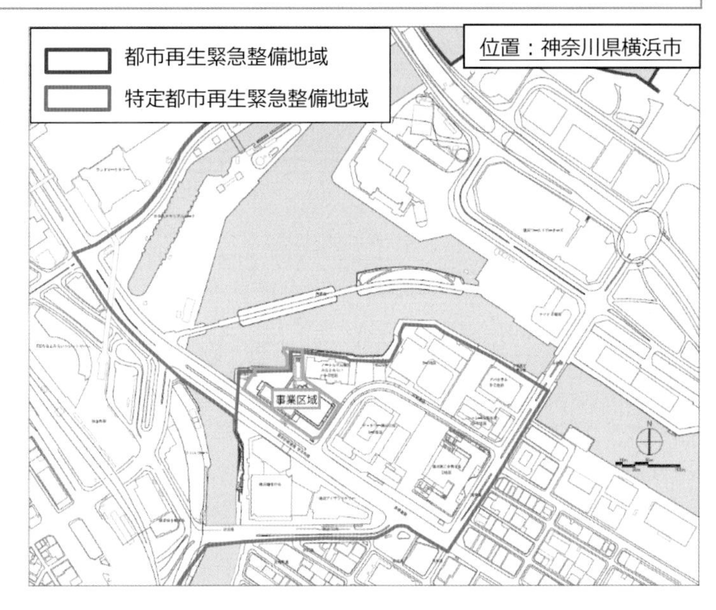

資料：国土交通省

また、令和５(2023)年11月には、「麻布台ヒルズ」が開業した（図表4-10）。オフィス、住宅、インターナショナルスクール、文化施設等、多様な都市機能を高度に融合させた複合ビルであり、「緑に包まれ人と人をつなぐ広場のような街」をコンセプトとしている。

日本初の大規模なベンチャーキャピタル（以下「VC」という。）の集積拠点となる「Tokyo Venture Capital Hub」も誕生し、スタートアップ、VCなどが互いの課題を補完しながら成長する、新たなイノベーションエコシステムの構築を目指して取組が進められている。

また、脱炭素に向けた取組も進められ、民間で国内初となる都市部の下水熱利用も含めたエネルギーネットワークを形成し、気象予報や運転実績データからAIによる負荷予測に合わせた最適な運転計画により電気・熱を事業地内の複数ビルに供給することで、エネルギーの面的利用によるエネルギー利用の効率化等の取組を行っており、第１回「脱炭素都市づくり大賞」の国土交通大臣賞を受賞した。

さらに、令和５(2023)年11月、大田区と羽田みらい開発株式会社が、官民連携で開発を進めてきた大規模複合施設「HANEDA INNOVATION CITY®」（羽田イノベーションシティ）が全面オープンした（図表4-11）。「先端」と「文化」の境界を越えた交流を誘発し、新たな価値創造を実現する日本初のスマートエアポートシティとして、研究開発施設、オフィス、先端医療センター、宿泊施設などを中心とした、多彩な施設が集積しており、国内外のヒト・モノ・情報がフラットに集まり、交流が生まれ、それらを通じ、新たなビジネスやイノベーション創出の拠点を目指している。

図表4-10　麻布台ヒルズの外観

資料：森ビル株式会社提供

図表4-11　HANEDA INNOVATION CITY®の外観

資料：羽田みらい開発株式会社提供

（2）国家戦略特区の取組

国家戦略特別区域法（平成25年法律第107号）に基づく東京圏国家戦略特別区域として、令和５(2023)年度末時点で東京都、神奈川県、茨城県つくば市、千葉県成田市及び千葉市が指定されている。国・地方公共団体・民間により構成される東京圏国家戦略特別区域会議は、令和５(2023)年度末現在、43回にわたって開催され、区域計画の作成・変更について内閣総理大臣の認定を受け、規制の特例措置を活用した事業が推進されている。認定事業数については新たに７事業が加わり、161事業が認定を受けている（図表4-12）。

図表4-12　令和５年度に事業認定された八重洲二丁目南特定街区における再開発事業の整備イメージ

◆イメージパース

北西側から計画地を望む

◆位置図

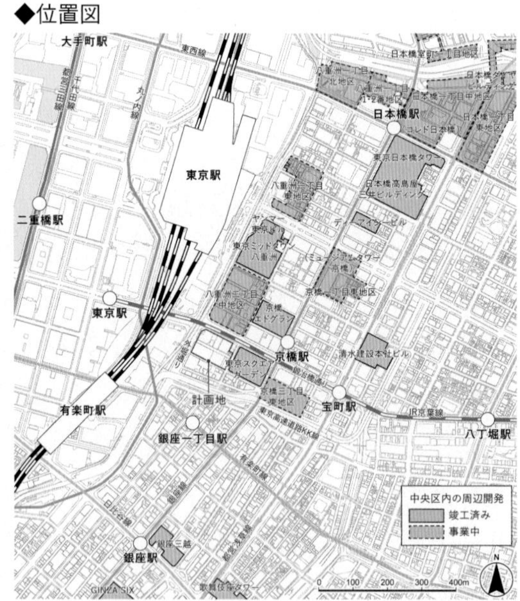

資料：内閣府提供

（3）スマートシティの推進

ICT等の新技術を活用しつつ、マネジメント（計画、整備、管理・運営等）の高度化により、都市や地域の抱える諸課題の解決を行い、また新たな価値を創出し続ける、持続可能な都市や地域である「スマートシティ」の実装に向け、国土交通省は先進的取組を支援している。支援に当たり、令和５(2023)年度までに、首都圏で18地区が選定されている。その中で、千代田区の「大丸有スマートシティプロジェクト エリマネDX実装化事業」では、デジタル・リアルを横断した高度化された総合的なサービスをワーカーや来街者に対して提供するため、エリマネデジタルツインの整備を進めている（図表4-13）。

また、国土交通省では3D都市モデルの整備・活用・オープンデータ化（Project PLATEAU）[1]を推進しており、令和５(2023)年度末時点で、首都圏64都市において展開されている。

さらに、地理空間情報も活用し、建築BIM、PLATEAU及び不動産IDを一体的に推進する「建築・都市のDX」により、高精細な3Dデジタルツインを構築し、建築・都市分野の官民データの活用の幅を広げ、EBPM[2]に基づくまちづくりやオープンイノベーションによる新サービス・産業創出の加速化を図っている。

図表4-13　大丸有スマートシティプロジェクト　エリマネDX実装化事業概要

資料：国土交通省

1）詳細は国土交通省HP https://www.mlit.go.jp/plateau/
2）EBPM：証拠に基づく政策立案のこと（Evidence-Based Policy Making）

環境との共生

1．自然環境の保全・再生

（1）自然環境の保全・再生

（自然公園及び自然環境保全地域の指定状況）

首都圏の国立公園・国定公園・都県立自然公園を合わせた自然公園の面積は、日光国立公園のある栃木県、秩父多摩甲斐国立公園のある埼玉県、富士箱根伊豆国立公園のある山梨県で大きく、各都県面積に占める割合は、東京都が約36%と最も高くなっている（図表5-1）。

また、大規模な高山植生や優れた天然林等を都県条例により指定する自然環境保全地域の面積は、神奈川県が約11,236ha（令和６(2024)年３月末時点）と最も大きい状況となっている。

図表5-1　自然公園都県別面積（令和５(2023)年３月末時点）

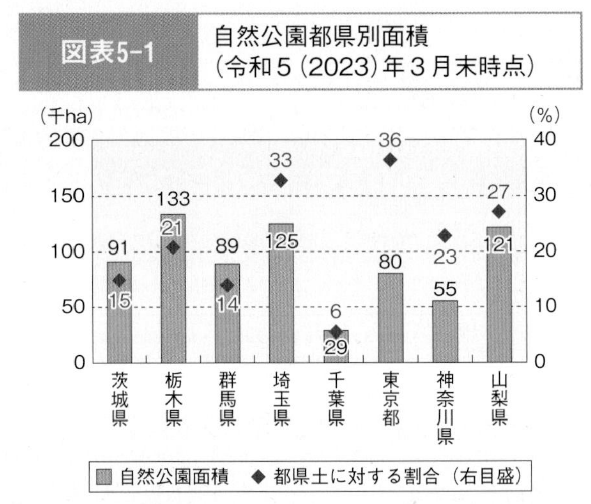

資料：「自然保護各種データ一覧」（環境省）を基に国土交通省国土政策局作成

（2）緑地の保全・創出

（都市公園の整備及び緑地保全の状況）

都市公園の整備や都市緑地法（昭和48年法律第72号）に基づく特別緑地保全地区等の指定、生産緑地法（昭和49年法律第68号）に基づく生産緑地地区の指定等により、都市における緑地の保全や緑化が総合的に推進されている。首都圏の令和４(2022)年度末の都市公園等は、平成24(2012)年度末と比較し、面積は約27,618haから約30,384haへと約2,766ha（約10%）増加、箇所数は31,504箇所から36,151箇所へと4,647箇所（約15%）増加している。また、首都圏一人当たり都市公園等面積は、約6.9㎡/人となっている。

都市公園は環境面だけでなく、国民のレクリエーション・休息、地域活性化、防災等、様々なニーズに対応する施設であり、公園の魅力向上やまちづくりと一体となった整備促進のため、公募設置管理制度（Park-PFI）[1]や滞在快適性等向上公園施設設置管理協定制度（都市公園リノベーション協定制度）[2]（令和２(2020)年度創設）の活用が進められている。

1）都市公園において飲食店等の公園施設の設置又は管理を行う民間事業者を公募により選定し、得られる収益を公園整備に還元することを条件に、事業者に都市公園法の特例措置がインセンティブとして適用される制度

2）都市再生整備計画に定める「居心地が良く歩きたくなる」まちなかづくりに取り組む区域の都市公園において、都市再生推進法人等が公園管理者との協定に基づき、飲食店等の公園施設の設置又は管理を行い、得られる収益を公園整備に還元することを条件に、事業者に都市公園法の特例措置がインセンティブとして適用される制度

令和５(2023)年10月には、都立公園で初めてとなる都市公園法（昭和31年法律第79号）に基づくPark-PFIを活用し、新たなエリアの整備を行ってきた「都立明治公園」の供用が開始された（図表5-2)。Park-PFIは、民間事業者が公園の整備・管理運営を行うものであり、この制度により、園内には、約1,000㎡の芝生広場「希望の広場」や渋谷川をモチーフにした水景を取り入れた「みち広場」など３つの広場と、約7,500㎡を有する樹林地「誇りの杜」が整備された。また、５棟の店舗棟（公募対象公園施設）を配置し、計６テナントを誘致することで、にぎわいを創出している。

また、民間事業者による緑地を創出する取組も行われており、株式会社三菱UFJフィナンシャル・グループは、持続可能な環境・社会の実現に向けた取組の一環として、西東京市に保有する運動場を「MUFG PARK」として整備し、令和５(2023)年６月に開園させた。利用者と共に、より居心地の良い場を育てる「プレイスメイキング」の試みとして、豊かな緑やコミュニティライブラリー、スポーツ施設などが整備され、人が集まる「場所」となっている。

図表5-2　都立明治公園の外観（イメージ図）

資料：Tokyo Legacy Parks株式会社提供

(都市農地の保全・活用)

都市農地は、都市に新鮮な農産物を供給する場であるとともに、市民の自然とのふれあいの場、都市住民のレクリエーション活動の場として都市住民と農村住民との交流の機会を提供している。また、防災・減災、景観形成など都市にとって貴重な緑地として保全・活用されている。首都圏の生産緑地地区は、令和５(2023)年末時点で6,482haが定められており、都市農地の保全が図られている。

市民農園整備促進法（平成２年法律第44号）に基づき開設された首都圏の市民農園数、市民農園面積はおおむね横ばいとなっており（図表5-3)、都県別に令和４(2022)年度末の整備状況を見ると、市民農園数では東京都が38件、市民農園面積では埼玉県が約33haと、首都圏内で最多・最大となっている（図表5-4)。

図表5-3　市民農園数と市民農園面積推移（各年度末時点）

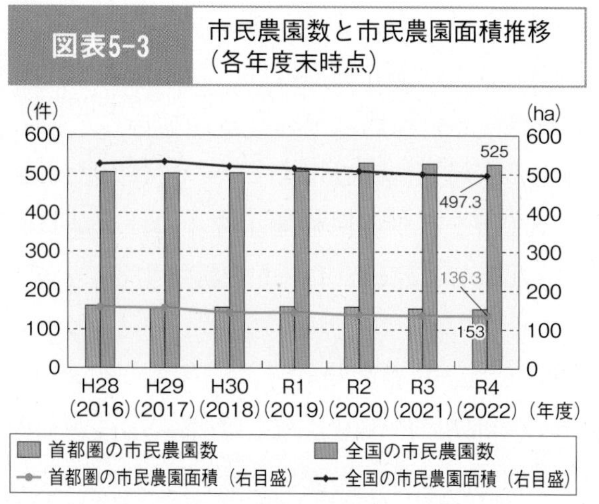

資料：「都市緑地の保全及び緑化の推進に関する施策の実績調査」（国土交通省）を基に国土交通省国土政策局作成

図表5-4　市民農園数と市民農園面積（令和4（2022）年度末時点）

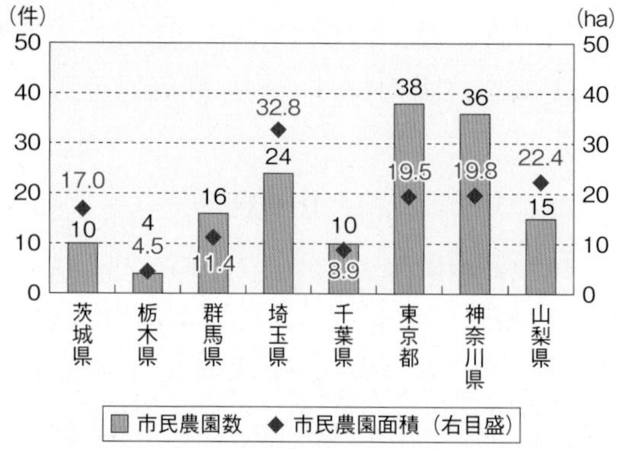

資料：「都市緑地の保全及び緑化の推進に関する施策の実績調査」（国土交通省）を基に国土交通省国土政策局作成

（3）水環境・水循環の保全・回復

（河川、湖沼等の水質改善）

首都圏の令和4（2022）年度の水質状況は、河川におけるBOD[3]の環境基準達成率[4]が首都圏全体で85.8％[5]となっており、全国の92.4％と比較して依然低い状況である。一方で、首都圏の湖沼では、COD[6]の環境基準達成率が56.1％に上昇し、全国の50.3％と比較して高い達成率となっている。また、首都圏の指定湖沼[7]では、手賀沼（千葉県）で平成8（1996）年度から水質の改善が見られるものの、いまだに全ての湖沼でCODの環境基準を達成していない状況である（図表5-5）。

国及び地方公共団体は、引き続き河川環境の整備や下水道の整備等により、河川や湖沼等の水質改善を推進している。

3）水中の有機物を分解するために水中の微生物が必要とする溶存酸素量。河川の水質汚濁指標の1つ。数値が高い程、水質汚濁の程度が大きいことを示す。
4）各水域に指定されている環境基準が達成されている水域の割合
5）「令和4年度公共用水域水質測定結果」（環境省）により、国土交通省国土政策局算出
6）水中の有機物を酸化剤によって酸化する際に消費された酸化剤の量を酸素に換算した値。湖沼及び海域の水質汚濁指標の1つ。数値が高い程、水質汚濁の程度が大きいことを示す。
7）湖沼水質保全特別措置法（昭和59年法律第61号）に基づき、環境基準が達成されていない又は達成されないこととなるおそれが高い湖沼であって、水質保全施策を総合的に講ずる必要がある湖沼について指定。

図表5-5　指定湖沼の水質状況（COD75%値）

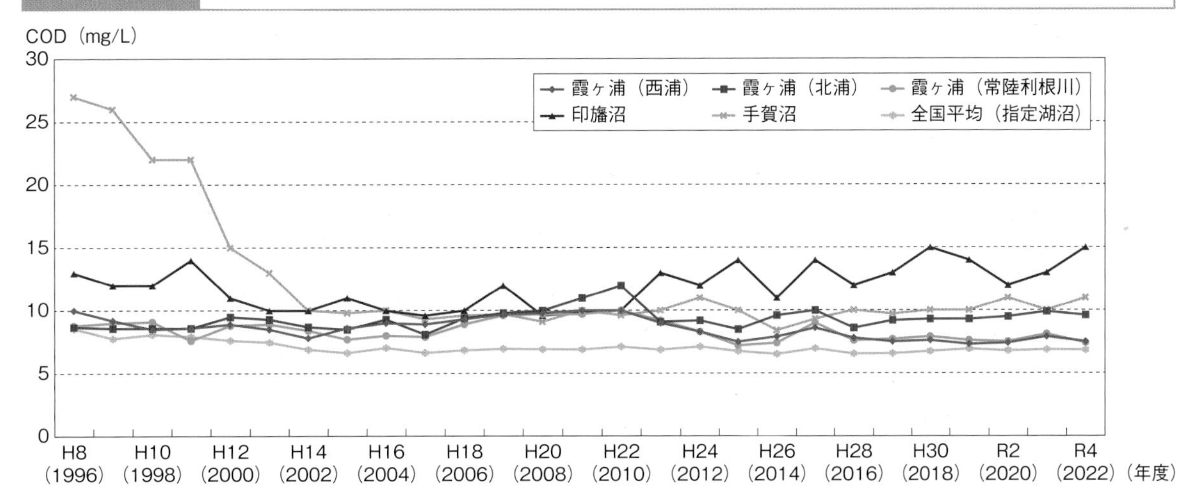

注１：年間の日間平均値の全データをその値の小さいものから順に並べ0.75×n番目（nは日間平均値のデータ数）のデータ値をもって75%水質値とする（0.75×nが整数でない場合は端数を切り上げた整数番目の値をとる。）。
注２：75%値は各環境基準点の75%値のうちの最高値。全国平均（指定湖沼）は75%値の平均値。
注３：各指定湖沼における環境基準は、霞ヶ浦（西浦、北浦、常陸利根川）３mg/L、印旛沼３mg/L、手賀沼５mg/L。
資料：「公共用水域水質測定結果」（環境省）を基に国土交通省国土政策局作成

（東京湾再生に向けた取組）

関係府省庁及び９都県市が設置した東京湾再生推進会議では、「東京湾再生のための行動計画」に基づき、陸域汚濁負荷の削減、海域環境改善対策、モニタリング等の総合的な施策を推進している。令和５(2023)年３月には、第二期計画における10年間の取組状況を確認し、分析・評価を行う期末評価が取りまとめられた。期末評価では、東京湾の環境は長期的には一定の改善が見られているとしながらも、東京湾全体の水質改善については目標を達成しておらず、今後も関係者の連携をより一層強化し、これまでよりも柔軟で持続的な計画を目指し、検討を進める必要があるとされた。

これを受け、令和５(2023)年３月、第三期計画の策定を行い、新たな全体目標として「快適に水遊びができ、『江戸前』をはじめ多くの生物が生息する、親しみやすく美しい豊かな『海』を多様な主体が協力しあうことで取り戻す～流域3,000万人の心を豊かにする『東京湾』の創出～」を掲げている。

なお、東京湾の水質指標の状況は、長期的に見ると、CODの環境基準達成率では横ばいであるものの、全窒素及び全リンの環境基準達成率は上昇しており、平成30(2018)年度以降は100%を維持している（図表5-6）。

図表5-6　東京湾における環境基準達成率の推移（COD、全窒素及び全リン）

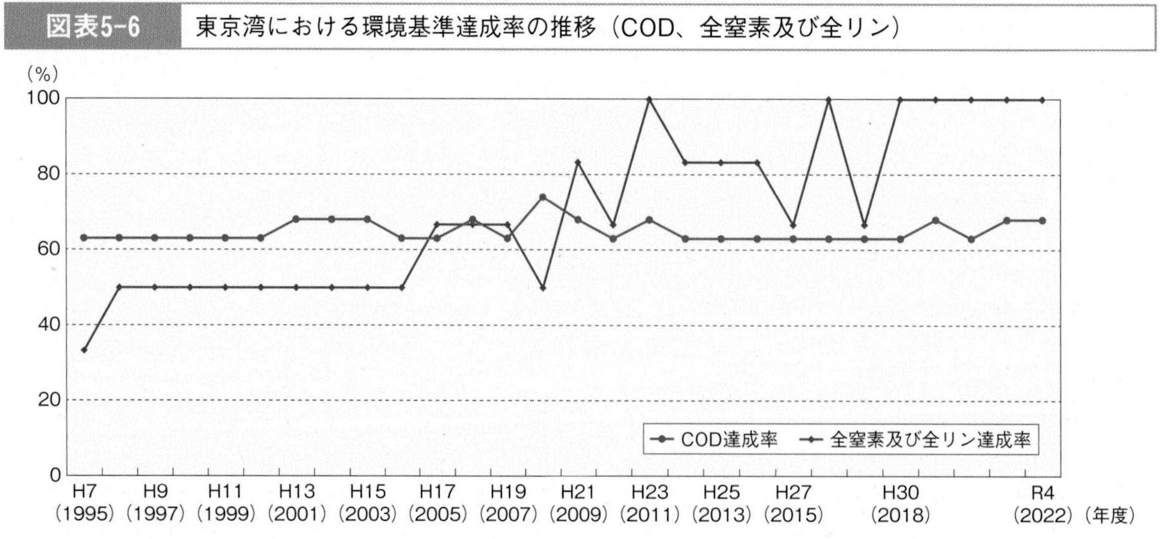

資料：「公共用水域水質測定結果」（環境省）を基に国土交通省国土政策局作成

2．環境負荷の低減

（1）温室効果ガスの削減

我が国は、令和32(2050)年までに、温室効果ガスの排出を全体としてゼロにすること（2050年カーボンニュートラル）を目指しており、首都圏ではエネルギー消費量の削減や再生可能エネルギーの導入拡大が進められている。

地方公共団体では、地球温暖化対策の推進に関する法律（平成10年法律第117号）に基づき、地域住民や事業者を含めた区域全体の施策に関する事項を定める「地方公共団体実行計画（区域施策編）」を策定しており、首都圏では群馬県を除く都県において、全国値以上の策定率（令和５(2023)年10月時点）となっている（図表5-7）。また、令和３(2021)年度の東京都の温室効果ガス排出量（速報値）は、6,078万t-CO_2であり、前年比1.1％の増加となっている（図表5-8）。

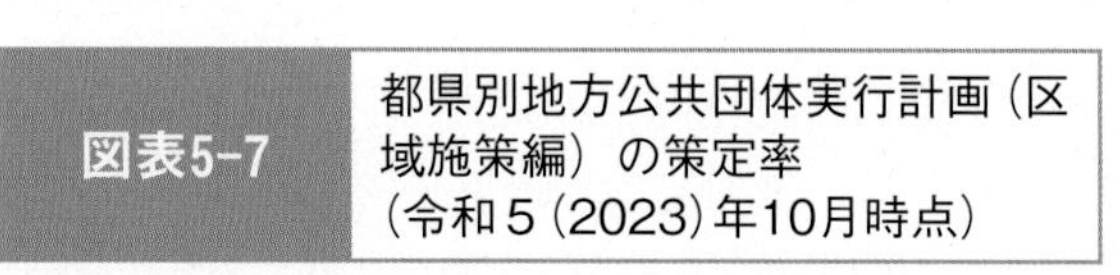
図表5-7　都県別地方公共団体実行計画（区域施策編）の策定率（令和５(2023)年10月時点）

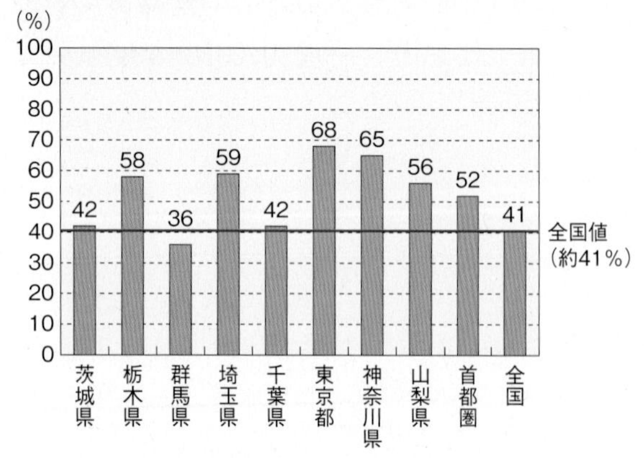

資料：「地方公共団体実行計画策定・実施支援サイト」（環境省）を基に国土交通省国土政策局作成

図表5-8　東京都の温室効果ガス排出量の推移

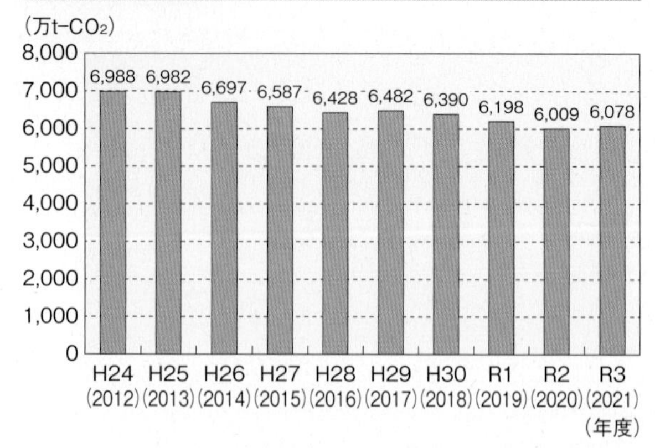

注　：H24～R２は「東京都における最終エネルギー消費及び温室効果ガス排出量総合調査（2020（令和２）年度実績）」、R３は「都内の最終エネルギー消費及び温室効果ガス排出量（2021年度速報値）」による

資料：「東京都における最終エネルギー消費及び温室効果ガス排出量総合調査（2020（令和２）年度実績）」、「都内の最終エネルギー消費及び温室効果ガス排出量（2021年度速報値）」（東京都）を元に国土交通省国土政策局作成

(2) エネルギーの消費動向と対策

(エネルギー消費の状況)

首都圏における最終エネルギー消費量は、全国の約３割を占めており（図表5-9)、平成19(2007)年度以降は漸減傾向で推移していたが、令和３(2021)年度には約3,845PJ（ペタジュール）となり前年度より増加した（図表5-10)。また、首都圏の約６割を近隣３県が占めており、全国都道府県別の順位では、千葉県が第１位（約1,205PJ)、神奈川県が第２位（約882PJ）となっている。

図表5-9　最終エネルギー消費量（直接利用分合計）の対全国シェア（令和３(2021)年度）

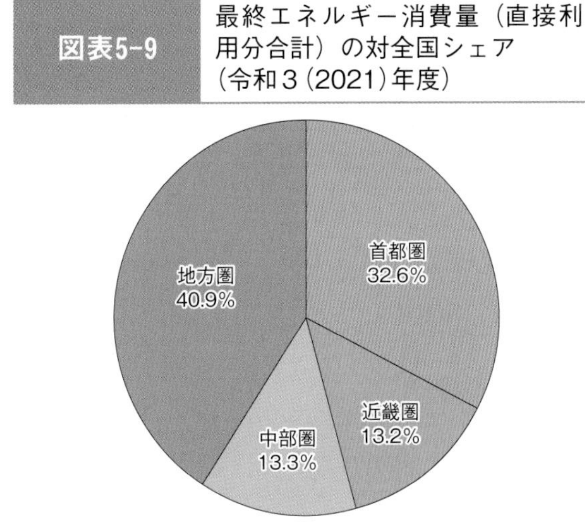

図表5-10　首都圏の最終エネルギー消費量（直接利用分合計）の推移

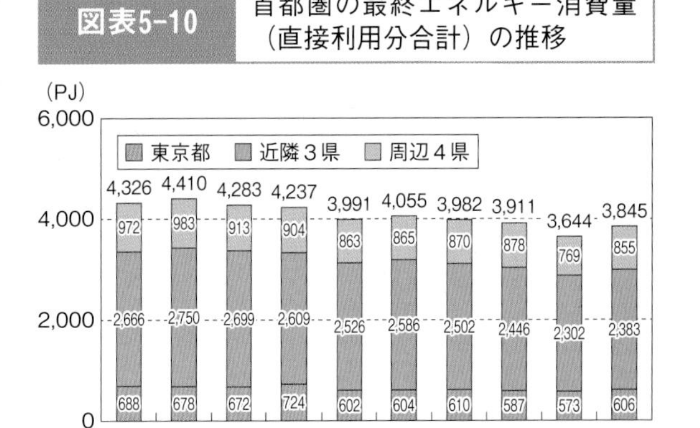

注１：令和３(2021)年度は暫定値
注２：近畿圏は滋賀県、京都府、大阪府、兵庫県、奈良県、和歌山県であり、中部圏は長野県、岐阜県、静岡県、愛知県、三重県である。
資料：ともに「都道府県別エネルギー消費統計調査」（資源エネルギー庁）を基に国土交通省国土政策局作成

(再生可能エネルギーの導入)

カーボンニュートラルの実現に当たっては、水力、太陽光、バイオマス等の再生可能エネルギーの導入拡大が必要不可欠である。電気事業者による首都圏の再生可能エネルギー発電量は、近年、増加傾向が続いていたが、令和４(2022)年度は17,360百万kWhと前年度から減少した（全国シェア約12%)。水力発電が占める割合が最も高く、太陽光発電については令和３(2021)年度までは増加傾向であった（図表5-11)。

固定価格買取制度（FIT）による首都圏の再生可能エネルギー導入量も増加傾向で、令和４(2022)年度までに1,901万kW（全国シェア約23%）となっており、太陽光発電が1,769万kWと９割以上を占めている（図表5-12)。

図表5-11　首都圏の再生可能エネルギー発電量の推移（電気事業者）

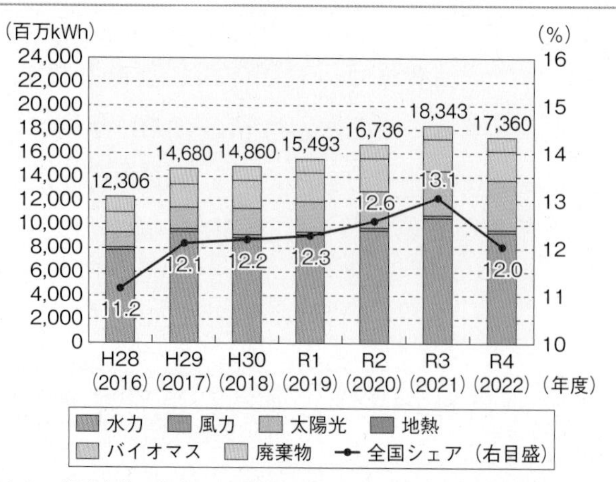

注　：電力調査統計は、電気事業者からの報告を基に作成している統計表であるため、電気事業者ではない事業者の発電所は含まれない。
資料：「電力調査統計」（資源エネルギー庁）を基に国土交通省国土政策局作成

図表5-12　FITによる首都圏の再生可能エネルギー導入量の推移

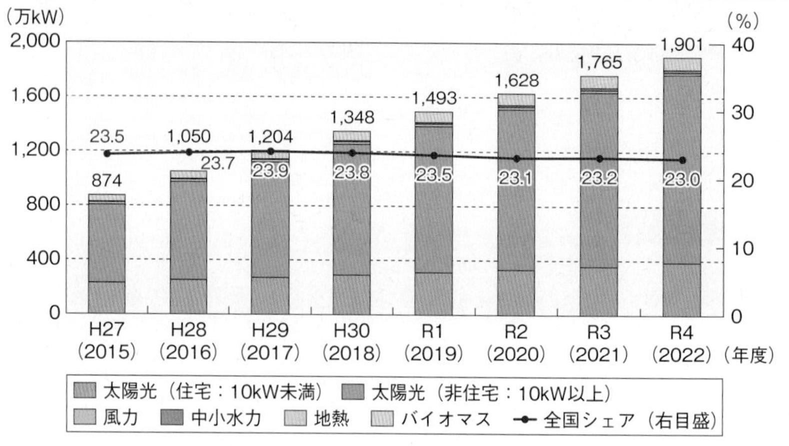

注1：移行認定分を含む
注2：「移行認定分」とは、電気事業者による再生可能エネルギー電気の調達に関する特別措置法（以下「法」という。）施行規則第2条に規定されている、法の施行の日において既に発電を開始していた設備、又は法附則第6条第1項に定める特例太陽光発電設備（太陽光発電の余剰電力買取制度の下で買取対象となっていた設備）であって、固定価格買取制度開始後に当該制度へ移行した設備
資料：「固定価格買取制度情報公開用ウェブサイト」（資源エネルギー庁）を基に国土交通省国土政策局作成

（3）グリーン社会の実現に向けた取組

（国土交通グリーンチャレンジの策定）

国土・都市・地域空間におけるグリーン社会の実現に向けて、国土交通省は令和12(2030)年度までの10年間で重点的に取り組む分野横断・官民連携プロジェクト等を盛り込んだ「国土交通グリーンチャレンジ」を令和３(2021)年７月に策定した。首都圏でも2050年カーボンニュートラルを見据え、各分野で取組が進められている。

（グリーンインフラの推進）

グリーンインフラとは、社会資本整備や土地利用等のハード・ソフト面において、自然環境が有する多様な機能を活用し、持続可能な国土・都市・地域づくりを進める取組である。国土交通省は、令和５(2023)年９月にグリーンインフラ推進戦略を全面改訂し（グリーンインフラ推進戦略2023)、グリーンインフラ推進のための支援の充実等に取り組んでいる。その支援策として、グリーンインフラの基本構想の策定や専門家派遣等を行う「先導的グリーンインフラモデル形成支援」（令和２(2020)年度創設）を実施している。このほか、グリーンインフラに関する優れた取組を表彰する「グリーンインフラ大賞」において、令和５(2023)年度は、首都圏では６件が賞に選ばれ、「八ツ堀のしみず谷津」及び「新柏クリニックと周辺施設」が国土交通大臣賞を受賞した。

このうち、「八ツ堀のしみず谷津」においては、月１回の管理活動により開放水面のある明るい湿地を再生し、デジタル技術の活用を通じた持続的な維持管理や、「リビングラボ」のアプローチで、産学官民の柔軟かつオープンな再生活動を実現したことが評価された（図表5-13）。

図表5-13　グリーンインフラ大賞「国土交通大臣賞」

新柏クリニックと周辺施設

資料：国土交通省

（国際園芸博覧会の開催に向けた取組）

令和９(2027)年、横浜市において、国際博覧会条約に基づく認定を受けた「2027年国際園芸博覧会」が開催される（図表5-14）。

本博覧会は、「幸せを創る明日の風景」をテーマに、花や緑、農との関わりを通じ、自然と共生した持続可能で幸福感の深まる社会の創造を目的としており、グリーンインフラの実装など、グリーン社会の実現に向けた取組を推進することとしている。

令和５(2023)年４月には、「2027年国際園芸博覧会関係閣僚会議」が設置され、「2027年国際園芸博覧会（GREEN×EXPO 2027）の準備及び運営に関する施策の推進を図るための基本方針」及び「2027年国際園芸博覧会（GREEN×EXPO 2027）関連事業計画」が同年８月に決定されるなど、政府一丸となって本博覧会の開催に向けた取組を進めている。

さらに、公式ロゴマークや公式マスコットキャラクターの公表、公式アンバサダー就任など、広く国民に向けた広報・コミュニケーション活動を展開し、機運醸成を図っている。

図表5-14　2027年国際園芸博覧会会場のイメージ

資料：国土交通省

（住宅・建築分野における取組）

令和３(2021)年、脱炭素社会の実現に資する等のための建築物等における木材の利用の促進に関する法律（平成22年法律第36号）が改正され、建築物におけるさらなる木材利用の促進に向けた取組が進められている。

木材利用推進中央協議会による木材利用優良施設等コンクールにおいて、令和５(2023)年度に農林水産大臣賞を受賞した埼玉県の小鹿野町役場は、地域による木材調達の協力体制の構築により、７割を超える県産材利用率を達成し、地域材を最大限活用したほか、純木造庁舎では全国で初めてとなるNearly ZEBを取得し、地球環境に優しい次世代型庁舎を実現している（図表5-15）。

図表5-15　木材利用優良施設等コンクール「農林水産大臣賞」（小鹿野町役場庁舎）

資料：木材利用推進中央協議会

また、令和４(2022)年６月に、建築物のエネルギー消費性能の向上に関する法律が改正され、令和６(2024)年４月より建築物への再生可能エネルギー利用設備の設置の促進が図られているほか、令和７(2025)年４月より全ての新築住宅・非住宅に対し省エネ基準適合が義務付けられることとなっている。東京都では、都民の健康と安全を確保する環境に関する条例の一部を改正する条例が令和７(2025)年より施行され、大手ハウスメーカー等に対し新築住宅等への太陽光発電設備の設置、断熱・省エネ性能の確保等が義務付けられることとなっている。

（交通分野における取組）

首都圏のCO_2総排出量について、運輸部門が２割近くを占め、そのうち９割以上が自動車からの排出となっている。

首都圏では、次世代車[8)]の保有台数及び保有台数割合は年々増加を続けている（図表5-16）。また、電気自動車（EV）の充電施設のほか、利用中にCO_2等を排出しないことから、環境負荷低減効果が期待されている燃料電池自動車の水素充填施設の整備も進められている。首都圏における充電施設数は、5,617箇所（令和６(2024)年３月31日時点)、水素充填施設数は50箇所（令和６(2024)年３月時点）であり、充電施設、水素充填施設ともに東京都と近隣３県の設置数が多くなっている（図表5-17）。

図表5-16　次世代車の保有台数と割合の推移

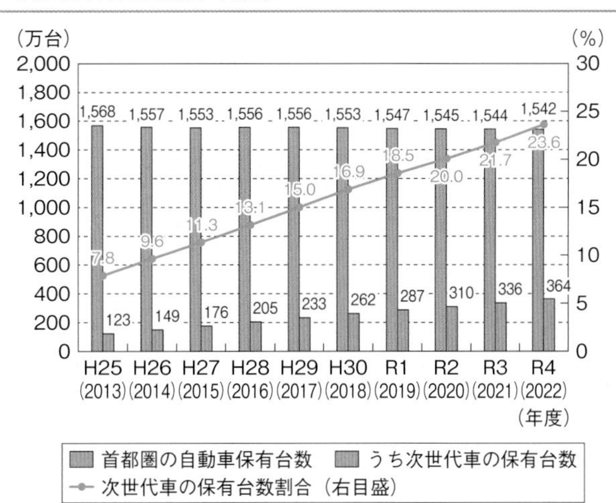

注　：保有台数は各年度末時点
資料：「自動車保有車両数」（(一般財団法人）自動車検査登録情報協会）を基に国土交通省国土政策局作成

図表5-17　充電施設・水素充填施設のシェア

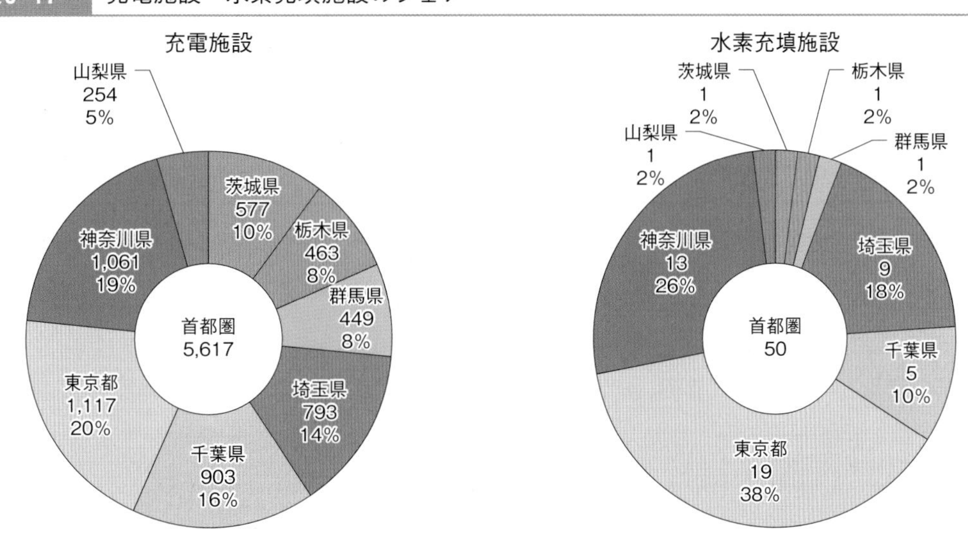

注　：充電施設数は令和６(2024)年３月31日時点、水素充填施設数は令和６(2024)年３月時点
資料：充電施設は「EVsmart」(ENECHANGE株式会社)、水素充填施設は「水素ステーション一覧(全国)」(燃料電池実用化推進協議会(FCCJ))を基に国土交通省国土政策局作成

8) EV、ハイブリッド自動車、プラグインハイブリッド自動車、CNG（圧縮天然ガス）自動車等をいう。ただし、軽自動車を除く。

（物流における取組）

物流の「2024年問題」に対応し、物流の持続的成長を図るため、令和６(2024)年５月に流通業務の総合化及び効率化の促進に関する法律及び貨物自動車運送事業法の一部を改正する法律（令和6年法律第23号）が公布された。これに基づき、荷主・物流事業者に対し、物流効率化の取組を義務づけることとしている。

また、物資の流通に伴う環境負荷の低減等に資する総合効率化計画の認定制度を通じた流通業務の総合化及び効率化の取組が進められている。令和４(2022)年度には、千葉県内に新設された倉庫に保管拠点、輸送網を集約し、トラック予約受付システムを導入することにより効率化を図る事例等が認定された（図表5-18）。

図表5-18　保管拠点の集約及びトラック予約受付システムの導入（令和４(2022)年度首都圏における物流総合効率化計画の認定事例）

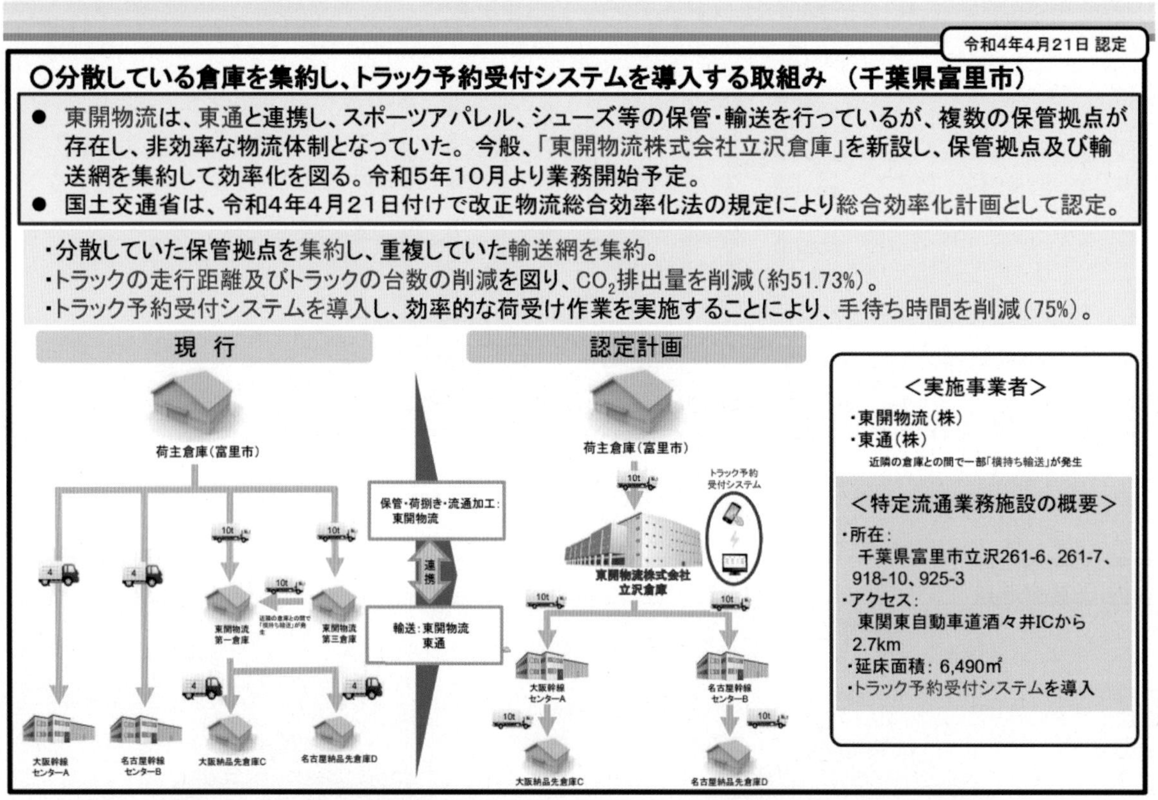

令和4年4月21日 認定

○分散している倉庫を集約し、トラック予約受付システムを導入する取組み（千葉県富里市）

- 東開物流は、東通と連携し、スポーツアパレル、シューズ等の保管・輸送を行っているが、複数の保管拠点が存在し、非効率な物流体制となっていた。今般、「東開物流株式会社立沢倉庫」を新設し、保管拠点及び輸送網を集約して効率化を図る。令和5年10月より業務開始予定。
- 国土交通省は、令和4年4月21日付けで改正物流総合効率化法の規定により総合効率化計画として認定。

・分散していた保管拠点を集約し、重複していた輸送網を集約。
・トラックの走行距離及びトラックの台数の削減を図り、CO_2排出量を削減（約51.73%）。
・トラック予約受付システムを導入し、効率的な荷受け作業を実施することにより、手待ち時間を削減（75%）。

現　行
荷主倉庫（富里市）
東開物流第一倉庫
東開物流第三倉庫
近隣の倉庫との間で「横持ち輸送」が発生
大阪幹線センターA
名古屋幹線センターB
大阪納品先倉庫C
名古屋納品先倉庫D

保管・荷捌き・流通加工：東開物流
連携
輸送：東開物流 東通

認定計画
荷主倉庫（富里市）
トラック予約受付システム
東開物流株式会社立沢倉庫
大阪幹線センターA
名古屋幹線センターB
大阪納品先倉庫C
名古屋納品先倉庫D

＜実施事業者＞
・東開物流（株）
・東通（株）
近隣の倉庫との間で一部「横持ち輸送」が発生

＜特定流通業務施設の概要＞
・所在：千葉県富里市立沢261-6、261-7、918-10、925-3
・アクセス：東関東自動車道酒々井ICから2.7km
・延床面積：6,490㎡
・トラック予約受付システムを導入

注　：詳細は国土交通省HP　https://www.mlit.go.jp/seisakutokatsu/freight/bukkouhou.html
資料：「物流総合効率化法の認定状況」（国土交通省）

（カーボンニュートラルポート（CNP）の形成）

港湾分野では、脱炭素化に配慮した港湾機能の高度化や水素等の受入環境の整備等を図るカーボンニュートラルポート（CNP）の形成を推進している。首都圏では、CNPの形成に向け、茨城港、鹿島港、東京港、川崎港、横浜港、千葉港及び木更津港において、官民の連携による協議会等が開催されている。港湾管理者は、協議会における検討を踏まえ、港湾法に基づく港湾脱炭素化推進計画を作成・公表しており、令和５(2023)年３月には茨城県が「茨城港港湾脱炭素化推進計画」及び「鹿島港港湾脱炭素化推進計画」を、令和５(2023)年10月には川崎市が「川崎港港湾脱炭素化推進計画」をそれぞれ作成、公表した。

首都圏整備制度と東京一極集中の是正

1．首都圏整備制度

（1）首都圏整備計画

首都圏整備計画は、首都圏整備法（昭和31年法律第83号）に基づいて策定される計画であり、我が国の政治、経済、文化等の中心としてふさわしい首都圏の建設とその秩序ある発展を図ることを目的としたものである。

本計画は、「第二次国土形成計画（全国計画）」及び「首都圏広域地方計画」の内容を踏まえ、平成28(2016)年３月に改定されたものであり、首都圏の将来像を「確固たる安全・安心を土台に、面的な対流を創出し、世界に貢献する課題解決力、先端分野・文化による創造の場としての発展を図り、同時に豊かな自然環境にも適合し、上質・高効率・繊細さを備え、そこに息づく人々が親切な、世界からのあこがれに足る『洗練された首都圏』の構築を目指す。」としている。さらに、将来像の実現のため「防災・減災と一体化した成長・発展戦略と基礎的防災力の強化」、「都市と農山漁村の対流も視野に入れた異次元の超高齢社会への対応」、「社会システムの質の更なる向上」等、10の施策の方向性が定められた。

（2）政策区域に基づく諸施策の推進

首都圏においては、その秩序ある整備を図るため、圏域内に国土政策上の位置付けを与えた「政策区域」を設定し、この区域に応じ、土地利用規制、事業制度等の施策が講じられている（図表6-1）。

図表6-1　首都圏整備法における政策区域

政策区域	区域の性格
既成市街地	産業及び人口の過度の集中を防止しながら、都市機能の維持・増進を図るべき区域
近郊整備地帯	既成市街地の近郊で、無秩序な市街化を防止するため、計画的に市街地を整備すべき区域
都市開発区域	首都圏内の産業及び人口の適正な配置を図るため、工業都市、住居都市等として発展させるべき区域
近郊緑地保全区域	近郊整備地帯の区域のうち特に緑地保全の効果の高い区域

資料：国土交通省

（3）業務核都市の整備

東京圏においては、東京都区部以外の地域で相当程度広範囲の地域の中心となる都市（業務核都市）を、業務機能をはじめとした諸機能の集積の核として重点的に育成・整備し、東京都区部への一極依存型構造をバランスのとれた地域構造に改善していくことが重要である。多極分散型国土形成促進法（昭和63年法律第83号）に基づき、都県又は政令指定都市が作成する業務核都市基本構想に基づく業務核都市の整備の推進が図られてきたところであり、これまでに承認・同意された地域は14地域となっている（図表6-2）。

首都圏整備計画においては、業務核都市について、今後、自立性の高い地域の中心として、各都市の既存集積、立地、交通条件、自然環境等の特徴を活かした個性的で魅力ある都市を目指して整備を推進することとされている。

図表6-2　業務核都市基本構想が策定された業務核都市の配置

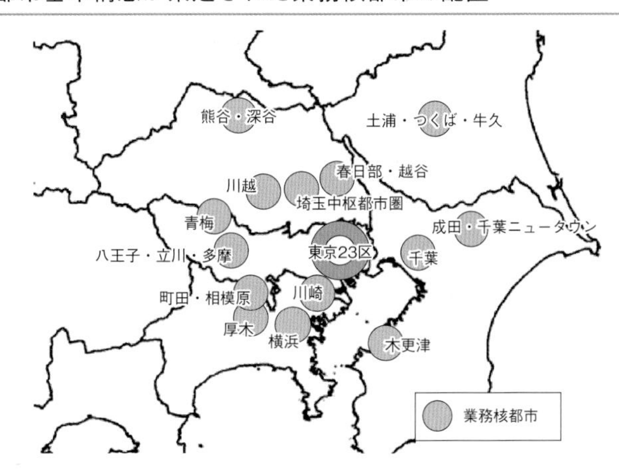

資料：国土交通省

（4）近郊緑地保全制度

計画的に市街地を整備し、あわせて緑地を保全する必要がある区域として指定する近郊整備地帯において、広域的な見地から緑地を保全することにより、無秩序な市街地化を防止し、大都市圏の秩序ある発展に寄与することを目的に首都圏近郊緑地保全法（昭和41年法律第101号）が制定された。

同法に基づき、近郊整備地帯内の緑地のうち、保全の効果が著しい土地の区域については、近郊緑地保全区域として指定されている（令和５(2023)年３月末現在で19区域、15,861ha）。また、近郊緑地保全区域内で、特に保全による効果が著しく、特に良好な自然の環境を有する等の土地の区域については、現状凍結的に保全する近郊緑地特別保全地区として指定されている（令和５(2023)年３月末現在で13地区、1,056ha）。

2．国土形成計画

（全国計画の推進）

国土形成計画は、総合的な国土の形成に関する施策の指針となる「全国計画」と、複数の都府県にまたがる広域地方計画区域における国土形成のための計画である「広域地方計画」から構成される二層の計画体系となっている。

第三次国土形成計画（全国計画）（令和５(2023)年７月閣議決定）では、我が国が直面するリスクと構造的な変化を踏まえ、地方に軸足を置いたビジョンとして、目指す国土の姿に「新時代に地域力をつなぐ国土」を掲げ、地域の魅力を高め、地方への人の流れを創出・拡大するため、国土構造の基本構想として「シームレスな拠点連結型国土」の構築を目指すこととしている。

また、首都直下地震等による広域かつ長期にわたる被害を最小限に抑えるため、東京における防災・減災、国土強靱化の取組を推進することはもとより、平時からの対応を含めて、国土全体にわたって広域レベルで人口や諸機能が分散的に配置される国土構造の実現を目指すとともに、政府機能等の中枢管理機能のバックアップ[1)]の強化を図ることとしている。

1）このうち政府機能については、例えば政府業務継続計画（首都直下地震対策）に基づき、行政中枢機能の全部又は一部を維持することが困難となった場合における当該行政中枢機能の一時的な代替に関する事項について更に検討を深めることとなっている。

さらに、国土の刷新に向けた４つの重点テーマとして、「デジタルとリアルが融合した地域生活圏の形成」、「持続可能な産業への構造転換」、「グリーン国土の創造」、「人口減少下の国土利用･管理」を掲げるとともに､これを支える横断的な重点テーマとして、「国土基盤の高質化」、「地域を支える人材の確保・育成」を位置付け、相互に連携しながら相乗効果を発揮できるように、統合的に取り組むこととしている。

（首都圏広域地方計画の推進）

首都圏においては、第二次国土形成計画（全国計画）を踏まえ、茨城県、栃木県、群馬県、埼玉県、千葉県、東京都、神奈川県、山梨県、福島県、新潟県、長野県、静岡県、政令指定都市（さいたま市、千葉市、横浜市、川崎市、相模原市）、国の出先機関、経済団体等を構成メンバーとする首都圏広域地方計画協議会における協議を経て、平成28(2016)年３月に首都圏広域地方計画が国土交通大臣により決定された。

本計画では、首都圏の将来像と、三大課題である①巨大災害の切迫への対応、②国際競争力の強化、③異次元の高齢化に対応する必要があることや、東京一極集中から対流型首都圏への転換など、日本の中で首都圏が果たすべき役割が示された。

また、第三次国土形成計画（全国計画）を基本とする、新たな首都圏広域地方計画の策定に向けて議論を進めている。令和５(2023)年７月に公表した基本的な考え方では、多様で自由な判断が尊重され、人中心の「ゆたかさ」と、「しなやか」な復元力を併せ持ち、テクノロジーの活用と上質なリアル空間の融合により「新しい価値」を創出し続けることで、『我が国を牽引する首都圏』を実現することを掲げている。

今後は、基本的な考え方をさらに具体化し、令和６(2024)年度冬頃の中間とりまとめ公表を目指している。

３．東京一極集中の是正

（１）東京一極集中の状況

首都圏における人口の社会増減は、昭和50(1975)年以降、平成６(1994)年、平成７(1995)年に一時マイナスに転じたものの、それ以降はプラスで推移している（第１節１．（１）参照）。これは、専ら東京圏の社会増加によるものである（図表6-3)。

図表6-3　首都圏における社会増減と転入超過数の推移

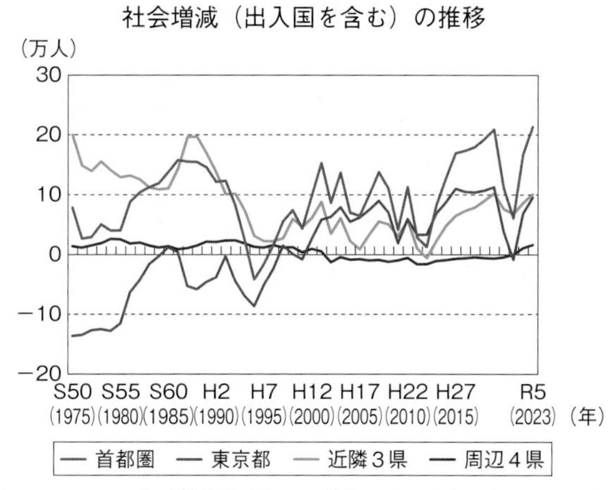

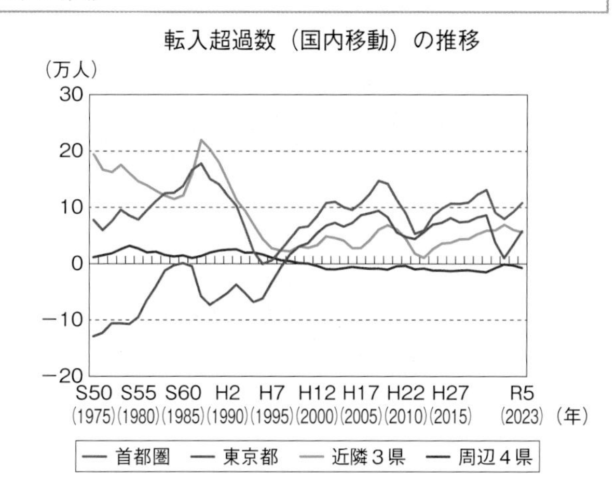

注　：ここでいう「社会増減」は、前年10月～当年９月までの１年間における「入国者数－出国者数」に「都道府県間転入者数（外国人を含む）－都道府県間転出者数（外国人を含む）」を加算したものをいう。
資料：「人口推計」（総務省）の参考表を基に国土交通省国土政策局作成

注　：ここでいう「転入超過数（日本人移動者）」は１月～12月までの１年間における「都道府県間転入者数（日本人）－都道府県間転出者数（日本人）」をいう。マイナスは転出超過数である。
資料：「住民基本台帳人口移動報告」（総務省）を基に国土交通省国土政策局作成

令和５(2023)年の首都圏の都県別社会増減の内訳をみると、いずれの都県も社会増となっている。埼玉県、東京都、神奈川県では、社会増の要因は主に国内の移動であるが、それ以外の５県では､社会増の要因としては国内の移動よりも出入国による移動によるところが大きい(図表6-4)。

図表6-4　首都圏の都県別社会増減の内訳（令和５(2023)年）

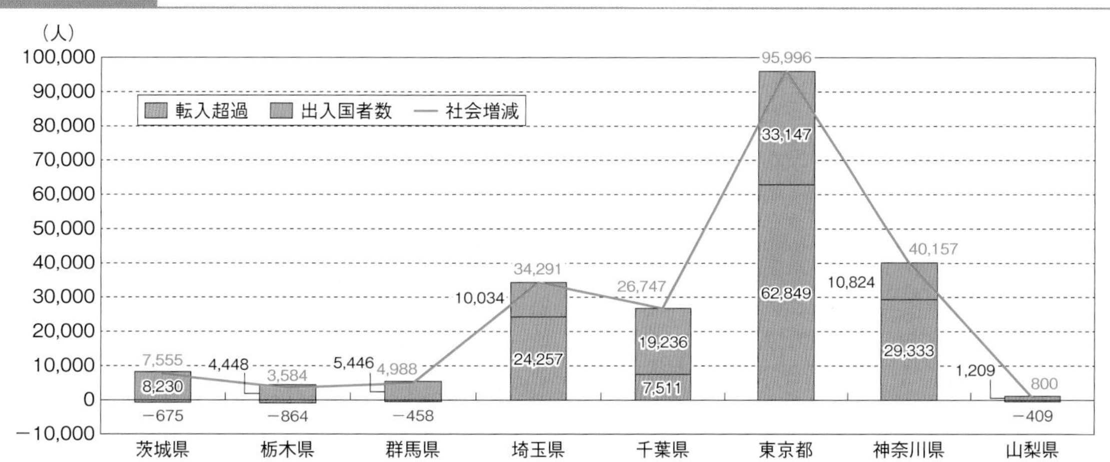

注　：ここでいう「転入超過数」は2022年10月～2023年９月までの１年間における「都道府県間転入者数（外国人を含む）－都道府県間転出者数（外国人を含む）」をいう。マイナスは転出超過数である。
ここでいう「社会増減」は、2022年10月～2023年９月までの１年間における「入国者数－出国者数」に「転入超過数」を加算したものをいう。
資料：「人口推計」（総務省）の参考表を基に国土交通省国土政策局作成

住民基本台帳人口移動報告によると、令和５(2023)年の東京圏の転入超過数は、約12.7万人（前年比約2.7万人増）となり、令和元(2019)年（約14.9万人）以来、３年ぶりに10万人を超えた。また、世代別の転入超過の状況については、10代後半から20代の若者が大部分を占める傾向が続いている（図表6-5）。

東京都の転入超過数を月別に見ると、令和４(2022)年においては、一部を除くほとんどの月で転入超過となり、令和５(2023)年にはより転入超過数が増加し、令和元(2019)年以前の状況に戻りつつある（図表6-6）。各道府県と東京都の転入・転出の状況を見ると、近隣３県への転出超過は前年に比べて縮小したものの継続している（図表6-7）。

図表6-5　東京圏の年齢５歳階級別転入超過数（令和元（2019）年～令和５（2023）年）

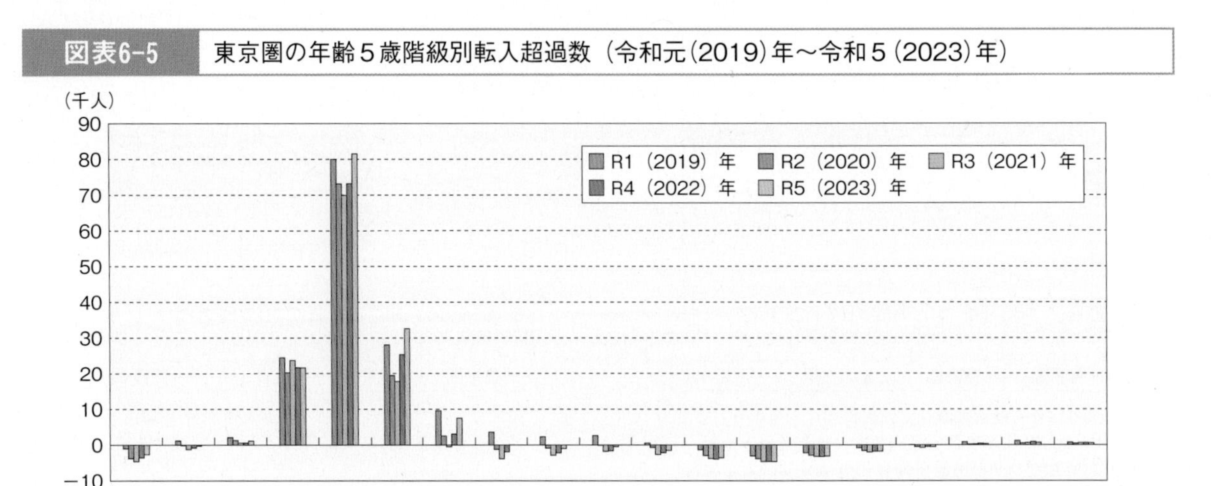

図表6-6　東京都における転入超過数

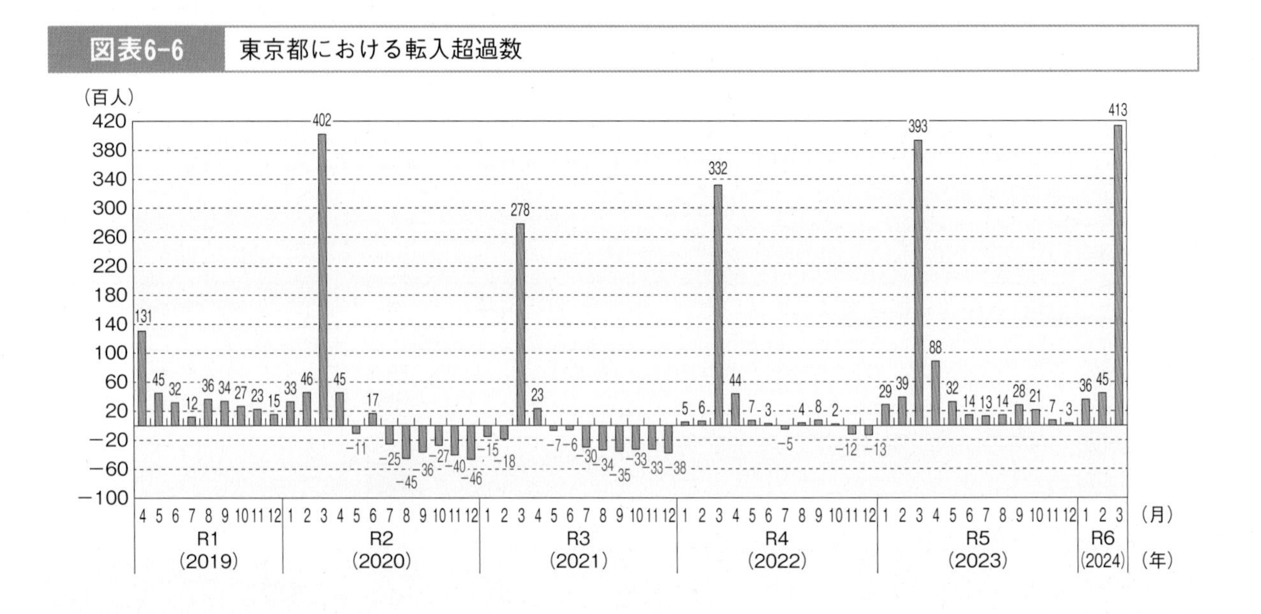

図表6-7　令和元（2019）年から令和５（2023）年の各道府県からの東京都への転入超過数

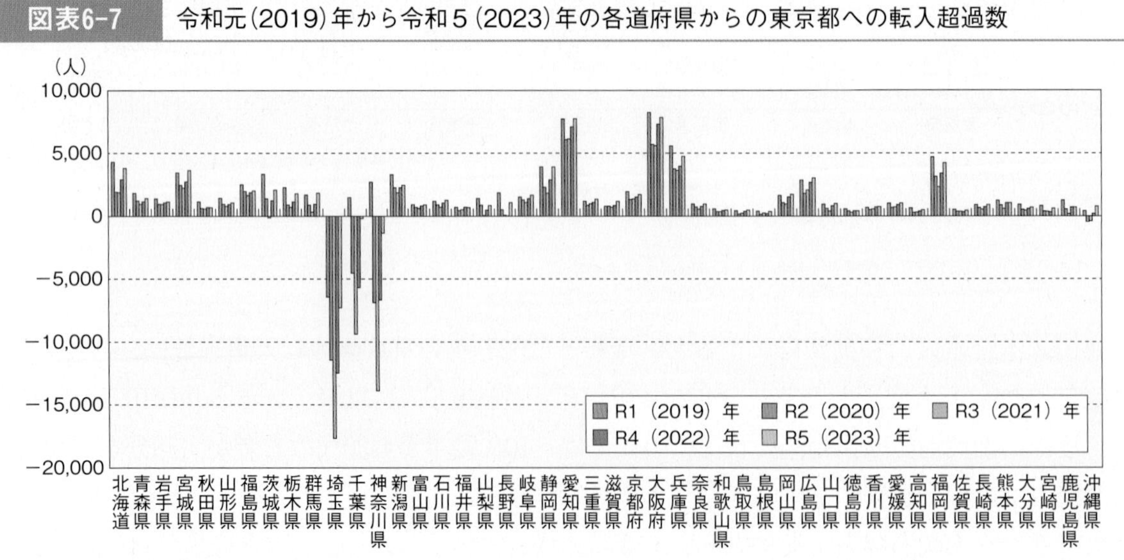

注　：マイナスは転出超過数。
資料：「住民基本台帳人口移動報告」（総務省）を基に国土交通省国土政策局作成

また、第１節で取り上げているように、資本金１億円以上の普通法人の立地状況については、東京圏が全国の約57.5％を占め、特に東京都において全国の約48.5％を占めている。さらに、令和２(2020)年度の首都圏の県内総生産（名目）の合計の全国シェアは39.8％である一方、同年10月１日時点の首都圏の人口の全国シェアは35.5％であり、人口のシェアよりも県内総生産のシェアの方が上回っている。

このように、東京圏への転入超過状況に変化が見られるものの、ヒト、モノ、カネが東京圏、特に東京都に集中する「東京一極集中」の状況は継続している。

（２）東京一極集中の是正に向けた取組

東京一極集中の是正にあたっては、様々な取組が行われている。例えば、東京23区内の大学等の学生の収容定員の抑制（第１節３．（２）参照）や、「地方拠点強化税制」による東京23区からの企業の本社機能の移転促進（第１節３．（２）参照）、UIJターンにより地方で起業・就業する若者たちを支援する取組（地方創生起業支援事業・地方創生移住支援事業）等が進められている。

また、第三次国土形成計画（全国計画）に掲げる「地方への人の流れの創出・拡大」の実現に向けて、地方部と都市部等にそれぞれ暮らしの拠点を持つ「二地域居住」を促進するため、令和６(2024)年５月、広域的地域活性化のための基盤整備に関する法律の一部を改正する法律（令和６年法律第31号）が成立した。

さらに、政府は、デジタル田園都市国家構想を掲げ、令和４(2022)年６月に閣議決定された「デジタル田園都市国家構想基本方針」や令和４(2022)年12月に閣議決定された「デジタル田園都市国家構想総合戦略（以下「総合戦略」という。)」において、デジタルの力も活用しつつ、地方の社会課題解決や魅力向上の取組を加速化･深化することで、地方から全国へのボトムアップの成長を目指すデジタル田園都市国家構想を実現し、東京圏への一極集中の是正や多極化を図っていくこととしている。

総合戦略については、令和５(2023)年12月に「デジタル田園都市国家構想総合戦略（2023改訂版）」（閣議決定）に変更し、政府一丸となって取組を推進している。

（３）魅力ある地方の創生

東京一極集中の是正とともに、魅力ある地方創生にあたり、政府は、総合戦略において、「魅力的な地域をつくる」ことを重要な柱の一つとして位置づけた上で各種施策を推進し、「全国どこでも誰もが便利で快適に暮らせる社会」の実現を目指している。また、首都圏では前述した東京一極集中の是正に向けた取組が行われるとともに、地方公共団体などにおいて、デジタルを活用した地方の社会課題解決に向けた取組が行われている。

茨城県の境町は、自動運転バスの取組を進めているが、令和５(2023)年11月、BOLDLY株式会社の協力の下、ナンバープレート

図表6-8　自動運転車両「MiCa」

資料：境町提供

を取得した自動運転レベル４対応のEV「MiCa」を地方公共団体として初めて導入し（図表6-8）、令和５(2023)年12月には、既存車両（ARMA）に加えて、定常運行（自動運転レベル２）を開始した。運転手不足の解決策として期待される自動運転技術を活用し、利便性の高い公共交通サービスを提供することで、住みやすい街づくりや地域活性化を目指すとともに、将来的に自動運転レベル４による運行を目指している。

また、山梨県北都留郡の小菅（こすげ）村と丹波山（たばやま）村は、セイノーホールディングス株式会社、福山通運株式会社、富岳通運株式会社、株式会社NEXT DELIVERYとともに、両村への配送業務について、物流の「2024年問題」に向けた取組として、地方公共団体と物流会社の連携、共同での中山間地域における配送網の維持、再構築を目的に共同配送の取組を開始した。今後、小菅村で展開をしている新スマート物流SkyHub®との融合を進め、陸上輸送とドローン配送による更なる自動化、省人化で、地域の物流インフラの構築を目指している。

このように、地方創生に資する取組が各地で進められているところであるが、Society5.0に代表される革新的技術も活用し「新時代に地域力をつなぐ」（第三次国土形成計画（全国計画））ことが重要である。

（４）筑波研究学園都市の整備

（筑波研究学園都市の現状）

筑波研究学園都市は、我が国における高水準の試験研究・教育の拠点形成と首都圏既成市街地への人口の過度な集中の緩和を目的として、筑波研究学園都市建設法（昭和45年法律第73号）に基づき整備が進められてきた。同法に基づく研究学園地区建設計画と周辺開発地区整備計画には、今後の筑波研究学園都市が目指すべき都市整備の基本目標として、①科学技術中枢拠点都市、②広域自立都市圏中核都市、③エコ・ライフ・モデル都市が掲げられ、これを実現するための総合的な施策展開の方向が示されている。

研究学園地区に移転・新設した国等の試験研究教育機関等として、令和５(2023)年度末現在29機関が業務を行っている。また、周辺開発地区の研究開発型工業団地を中心に多数の民間研究所や研究開発型企業が立地している。

（先端的研究開発）

科学技術の集積効果を最大限に活用し、イノベーションを絶え間なく創出する産学官の連携拠点を形成し、そこから生まれる新事業・新産業で国際標準を獲得すること、あるいは国際的モデルの提示により、我が国の経済成長を牽引し、世界的な課題の解決に貢献していくことを目的として、平成23(2011)年12月に「つくば国際戦略総合特区」が指定された。令和５(2023)年度末時点で９つの研究開発プロジェクトが進められている。

また、つくば市は、規制改革と先端的な技術とサービスを社会実装することで、人々に新たな選択肢を示し、多様な幸せをもたらす大学・国研連携型スーパーシティの実現を目指しており、令和３(2021)年度に「つくばスーパーサイエンスシティ構想」[2]をとりまとめ、令和４(2022)年４月に「スーパーシティ型国家戦略特別区域」として指定された（図表6-9）。

2）詳細はつくば市HP　https://www.city.tsukuba.lg.jp/shisei/torikumi/1013732.html

（知的対流によるイノベーション拠点の形成）

国・企業等の様々な研究機関、大学等が集積する筑波研究学園都市では、近接する柏の葉キャンパス等と連携しながら、リニア中央新幹線の整備を契機として中部や関西との広域的で新たな知的活動の連携を深め、イノベーション拠点を形成することが重要である。

茨城県や関係団体においては、研究機能の向上に加えてTX（つくばエクスプレス）沿線地域ならではの暮らし方「つくばスタイル」が実現できる魅力的なまちづくりを進めることにより、日本の発展に寄与する知的対流拠点の形成を図ることとしている。茨城県では、県外からの移住促進を図るため、TX沿線移住情報サイト「新！つくば」[3]により、茨城県TX沿線地域の魅力情報等が発信されている。

図表6-9　「つくばスーパーサイエンスシティ構想」における先端的サービスの概要

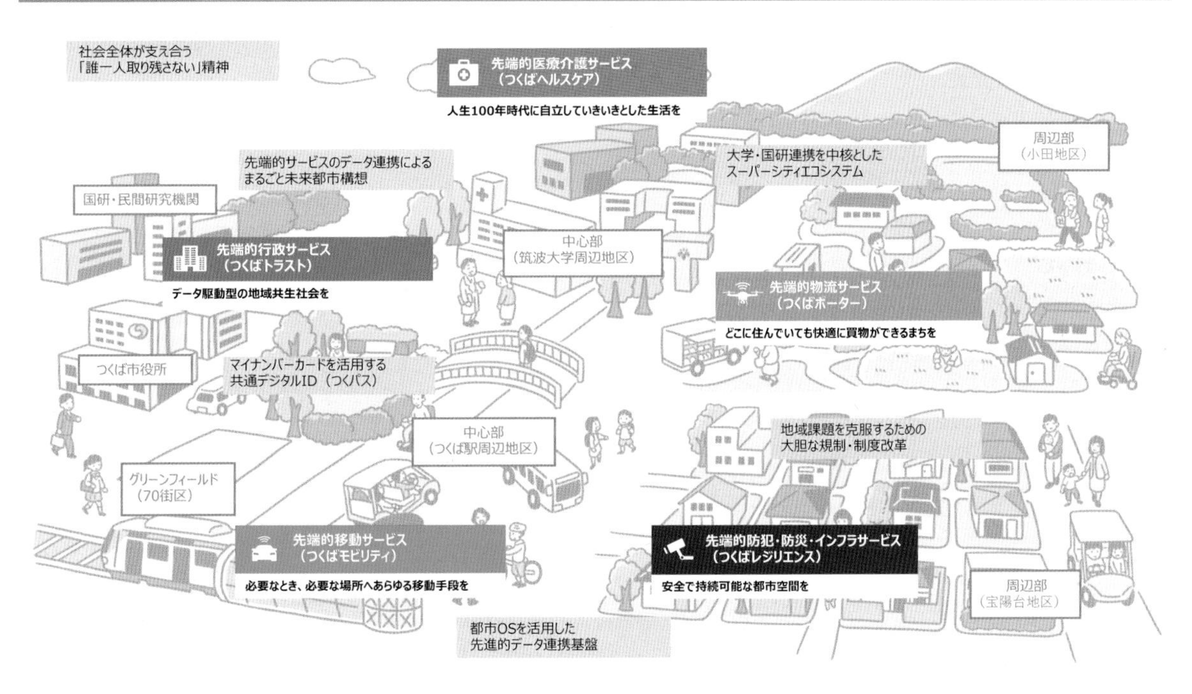

資料：つくば市提供

（5）国の行政機関等の移転

（多極分散型国土形成促進法に基づく国の行政機関等の移転）

東京都区部における人口及び行政、経済、文化等に関する機能の過度の集中の是正に資することを目的として、「国の機関等の移転について」（昭和63（1988）年１月閣議決定）及びこれに基づく「国の行政機関等の移転について」（昭和63（1988）年７月閣議決定）に基づき、国の行政機関の官署（地方支分部局等）及び特殊法人の主たる事務所の東京都区部からの円滑な移転が推進されている。

閣議決定で移転対象とされた79機関11部隊等（廃止等により令和５（2023）年度末現在は69機関11部隊等）のうち、67機関11部隊等が移転した（図表6-10）。

3）詳細は茨城県HP　https://new-tsukuba.jp/

図表6-10　国の行政機関等の移転実績マップ（多極分散型国土形成促進法に基づく）

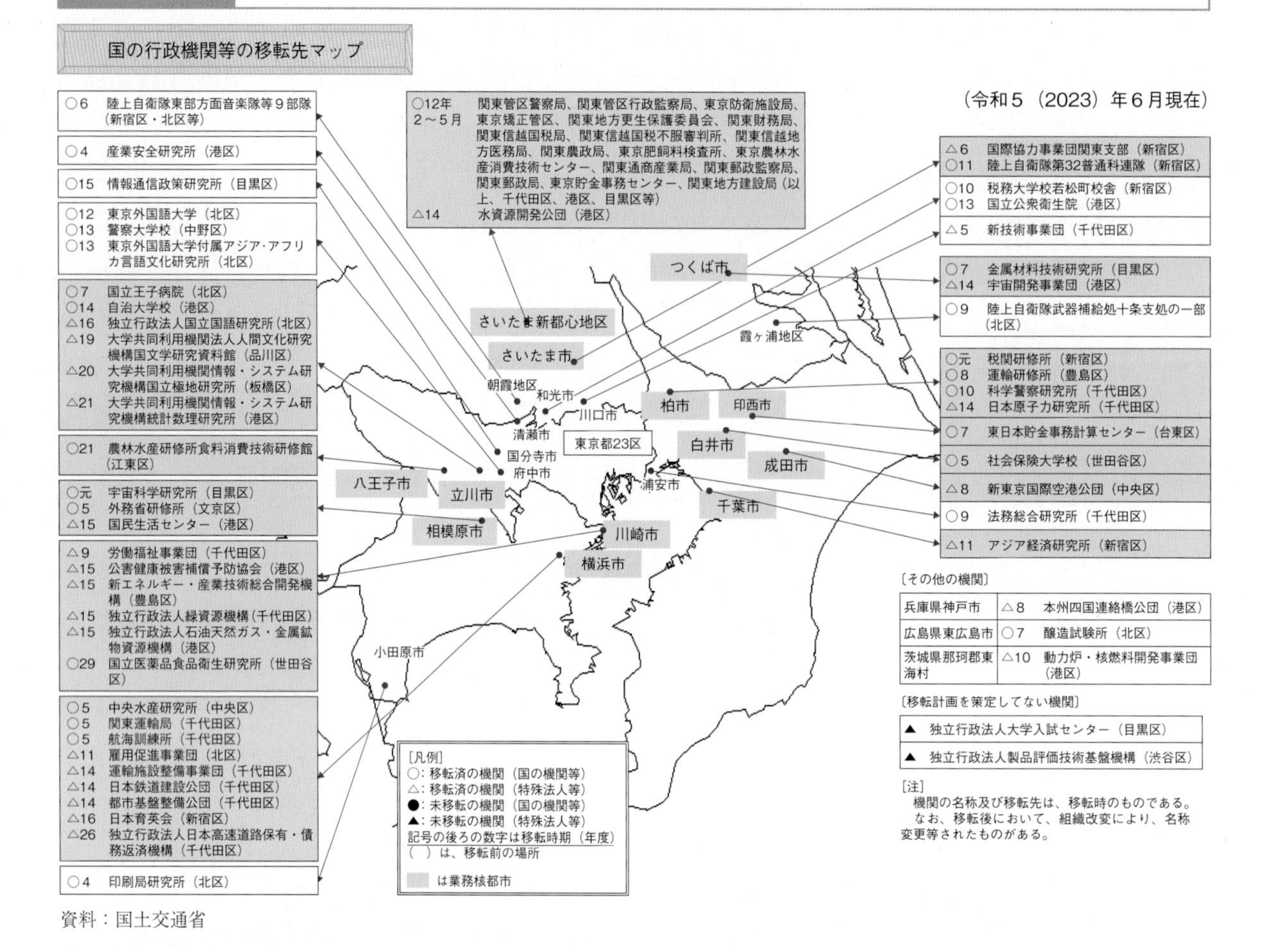

資料：国土交通省

（政府関係機関の地方移転について）

「政府関係機関移転基本方針」（平成28（2016）年3月まち・ひと・しごと創生本部決定）及び「政府関係機関の地方移転にかかる今後の取組について」（平成28（2016）年9月まち・ひと・しごと創生本部決定）に基づき、中央省庁7機関、研究・研修機関等23機関の計57件に関して地方移転の取組を進めている。京都における文化庁の全面的な移転や、徳島における消費者庁の恒常的拠点の設置等のほか、研究・研修機関においても地域イノベーションの創出等を通じて地方創生上の効果が現れはじめている。

これらの取組の結果を踏まえ、令和5（2023）年度に地方創生上の効果、国の機関としての機能の発揮等について総括的な評価を行った。今後は同評価結果及びデジタル技術の普及をはじめとした昨今の社会的な変化を踏まえ、必要な対応を行うこととしている。

Column

多様化する働き方や暮らし方とアフターコロナの新しい人の流れ

人口が東京圏に集中する傾向は、新型感染症の流行により変化するかと思われたが、新型感染症が収束し社会経済活動が正常化するにつれて、再び東京圏へと人口流入が戻りつつある。しかしながら、新型感染症後の統計や調査を仔細にみると、子育て世代の東京からの流出増加や、若者世代の地方移住への関心の高まりなど、新型感染症前とは違う新しい人の流れを示唆する動きも存在する。本コラムでは、こうした新型感染症をきっかけとした社会経済の変化、特に多様な働き方や暮らし方の広がりを背景に生まれつつある、新しい人の流れについて紹介する。

（東京近郊に転出する子育て世代が増加）

はじめに過去５年間の東京都の転入超過数[1]の推移を確認すると、新型感染症の流行前にあたる令和元(2019)年には約8.3万人であったが、令和３(2021)年に約0.5万人まで急減したのち、令和４(2022)年は約3.8万人、令和５(2023)年は約6.8万人と２年連続で増加した（図表 コラム1)。新型感染症前の令和元(2019)年を100％とすれば、令和５(2023)年の転入超過数は新型感染症前の８割程度の水準となり、東京都への人口移動は、新型感染症前の状況に戻りつつあるようにみえる。

図表 コラム1　東京都の転入超過数の推移

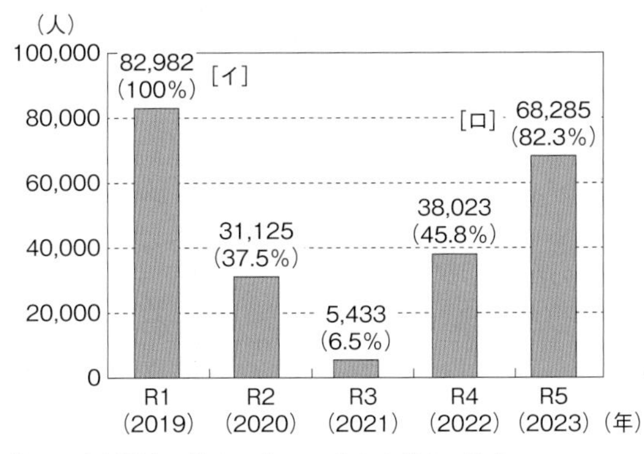

注　：丸括弧内の値はR1を100％とした場合の比率
資料：「住民基本台帳人口移動報告」（総務省）を基に国土交通省国土政策局作成

図表 コラム2　年代別の東京都の転入超過数

（単位：人）

	2019年［イ］	2023年［ロ］	差［ロ−イ］
転入超過数	82,982	68,285	▲ 14,697
15歳未満	▲ 3,582	▲ 6,983	▲ 3,401
15〜19歳	14,369	14,566	197
20代	78,667	88,635	9,968
30代	3,797	▲ 3,564	▲ 7,361
40代	1,047	▲ 5,287	▲ 6,334
50代	▲ 2,029	▲ 6,890	▲ 4,861
60歳以上	▲ 9,287	▲ 12,192	▲ 2,905

資料：「住民基本台帳人口移動報告」（総務省）を基に国土交通省国土政策局作成

次に東京都の転入超過数を年代別に分けたうえで、新型感染症前と後（令和元(2019)年と令和５(2023)年）で比較した（図表 コラム2)。この図からは、東京都の転入超過数が総数としては新型感染症前の水準に戻りつつあるとしても、全ての年代が同じように戻っているわけではないことがわかる。まず20代の転入超過数は、新型感染症前の約7.9万人から、新型感染症後には約8.9万人へ１万人ほど増加している。次に15〜19歳をみると、この年代は新型感染症前とほぼ同水準の転入超過数になっている。

1) 転入者数より転出者を差し引いた数。値がマイナスの場合は転出超過（転出者数が転入者数を上回る状態）を示す。

最後にその他の年代をみると、各年代の転入超過数は新型感染症前よりも減少している。特に30代と40代においては、新型感染症前には転入が転出を上回る状態（転入超過）であったが、新型感染症後には転出が転入を上回る状態（転出超過）へと人の流れが逆転している。結果として、30代の転入超過数は新型感染症前から７千人程度、40代は６千人程度減少しており、他の年代に比べて減少幅も大きい。

また、20代と30代の転入超過が多い自治体を比較すると、20代では上位20自治体のほとんどを東京23区が占める一方、30代では上位のほとんどをベッドタウンの役割をもつ郊外の自治体が占めている（図表 コラム3）。移動の契機となるライフイベントが20代ならば就職、30代では結婚や子育てのように、異なっているためと考えられる。

図表 コラム3　転入超過数の多い上位20市区町村（首都圏、令和５(2023)年）

順位	20代		30代	
	自治体名	転入超過数（人）	自治体名	転入超過数（人）
1	川崎市	10,212	さいたま市	1,487
2	大田区	7,940	茅ヶ崎市	894
3	横浜市	6,827	横浜市	855
4	品川区	5,992	流山市	687
5	世田谷区	5,966	町田市	682
6	江東区	5,307	柏市	629
7	墨田区	5,118	千葉市	595
8	杉並区	4,962	港区	551
9	板橋区	4,708	つくば市	525
10	足立区	4,104	江東区	514
11	中野区	3,968	八千代市	477
12	台東区	3,853	相模原市	470
13	新宿区	3,648	平塚市	465
14	北区	3,489	台東区	431
15	さいたま市	3,257	藤沢市	409
16	目黒区	3,244	新座市	378
17	練馬区	2,995	上尾市	358
18	葛飾区	2,837	川越市	313
19	港区	2,800	久喜市	302
20	渋谷区	2,783	印西市	296

注　：値は日本人移動者数
資料：「住民基本台帳人口移動報告」（総務省）を基に国土交通省国土政策局作成

30代や40代の転入超過数を、内閣府の調査[2)]と同様に東京都の近郊４県（埼玉県、千葉県、神奈川県及び茨城県）と、それ以外の地域とに分解してみると、どちらの年代でも特に近郊４県に対する転出超過数が新型感染症前より大きく増加し、30代では３千人から８千人へと２倍以上に、40代も１千人から４千人へとおよそ４倍に増えていることがわかる（図表 コラム4）。こうした動きの理由として、都内の住宅価格の上昇などを背景に東京近郊に転出している子育て世帯が増加している可能性が指摘されている[3)]。

2）内閣府（2023）「日本経済レポート（2023年度）」
3）内閣府（2023）「日本経済レポート（2023年度）」では、新型感染症後に子育て世帯が東京都内から住宅がより安い首都圏近郊に転出している可能性が指摘されているほか、総務省統計局（2023）「2023年春の東京都の転入超過の状況」でも30代を始めとする子育て世帯を中心に、住宅価格が割安な郊外に引っ越す傾向が強まっている可能性が言及されている。

続いて、東京圏の住宅価格の変化について確認すると、東京圏の住宅価格は新型感染症前より40％近く上昇している（図表 コラム5）。特に都区部の上昇率は50％以上となっており、神奈川県など近郊地域の上昇率に比べて一段と高い。また住宅面積を比較すると東京都区部はその他の県に比べて住宅が狭いといった特徴もみられる。

図表 コラム4　東京都の子育て世代の移動（30代・40代、令和元（2019）年と令和５（2023）年の比較）

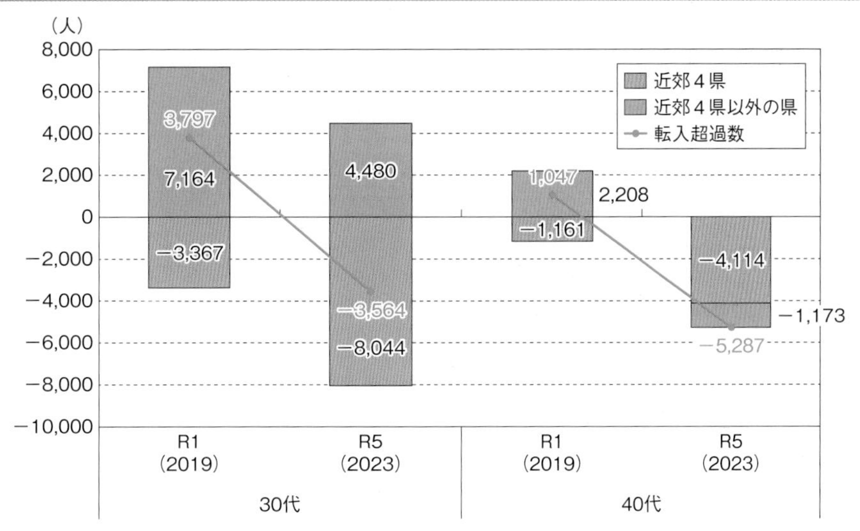

注　：近郊４県は、埼玉県、千葉県、神奈川県及び茨城県
資料：「住民基本台帳人口移動報告」（総務省）を基に国土交通省国土政策局作成

図表 コラム5　東京圏の住宅価格の上昇率（令和元（2019）年⇒令和５（2023）年）と住宅面積

東京圏の住宅価格の上昇率（令和元（2019）年⇒令和５（2023）年）

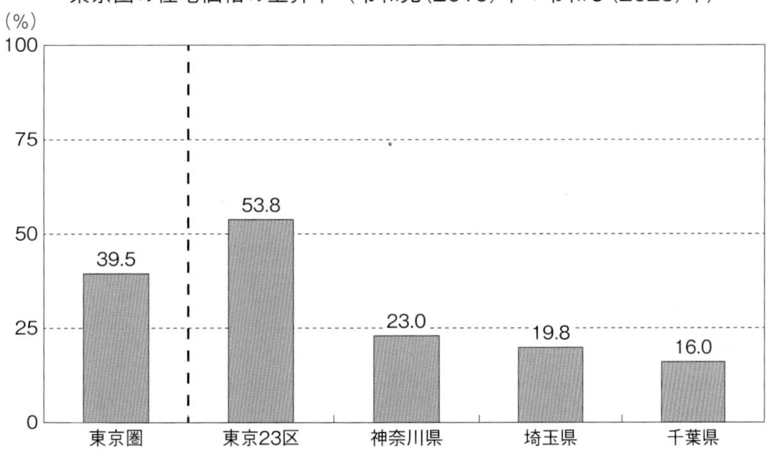

住宅面積

（単位：㎡）

		R01 (2019)	R02 (2020)	R03 (2021)	R04 (2022)	R05 (2023)
契約者全体		68.2	67.3	66.0	65.9	64.7
購入物件所在地別	東京23区	63.6	63.2	61.8	62.7	62.1
	東京都下	69.0	70.0	68.8	67.4	66.5
	神奈川県	71.7	68.4	68.2	66.3	66.9
	埼玉県	71.1	69.1	66.7	67.6	64.4
	千葉県	71.7	72.3	71.9	70.7	66.7

注１：住宅価格は新築分譲マンション（ファミリー向け）の㎡単価の平均
注２：住宅面積は新築分譲マンションの専有面積の平均
資料：「全国新築分譲マンション市場動向」（株式会社不動産経済研究所）、「2023年首都圏新築マンション契約者動向調査」（リクルート調べ）を基に国土交通省国土政策局作成

一方、新型感染症が拡大していた時期より継続的に実施されてきた意識調査の結果からは、新型感染症前に比べてテレワークや家族と過ごす時間が増加した人が多く存在し、新型感染症がおおむね収束した令和５(2023)年になっても新型感染症前の状態に戻っておらず、新しい働き方や暮らし方の広がりがうかがえる（図表 コラム6、図表 コラム7）。また、ライフスタイルの変化に伴い、住宅の「広さ」等の住環境を重視する傾向が定着するように見える（図表 コラム8）。関連して、鉄道の定期券利用状況をみると、新型感染症の影響により大きく減少したのち緩やかな回復にとどまっており、テレワークの普及等を背景に通勤そのものの傾向が変わった可能性を示唆している（図表 コラム9）。

図表 コラム6　テレワーク実施比率

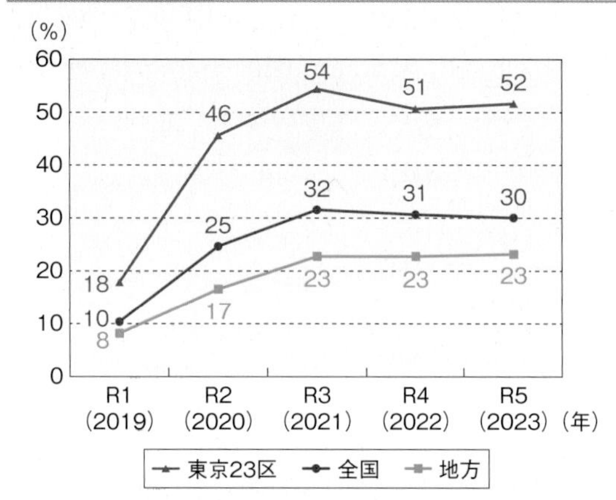

注１：働き方に関する問に対し、「テレワーク（ほぼ100%）」、「テレワーク中心（50%以上）で定期的に出勤を併用」、「出勤中心（50%以上）で定期的にテレワークを併用」又は「基本的に出勤だが不定期にテレワークを利用」のいずれかを選んだ人の割合

注２：Ｒ２の値は「５月調査」と「12月調査」、Ｒ３の値は「４-５月調査」と「９-10月調査」の各平均値

資料：「新型コロナウイルス感染症の影響下における生活意識・行動の変化に関する調査（第１回～第６回）」（内閣府）を基に国土交通省国土政策局作成

図表 コラム7　家族と過ごす時間（新型感染症前からの変化）

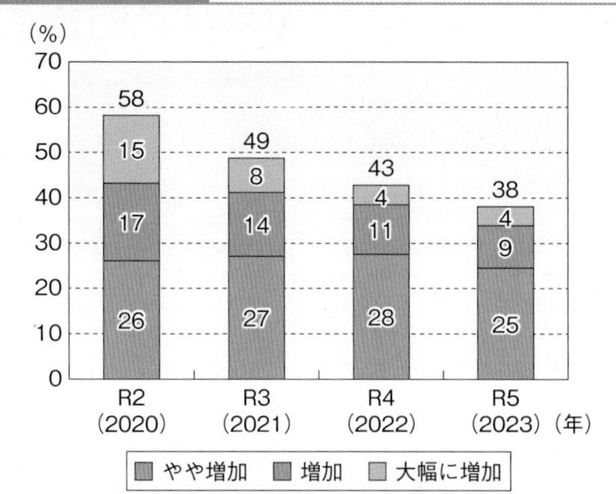

注　：Ｒ２の値は「５月調査」と「12月調査」、Ｒ３の値は「４-５月調査」と「９-10月調査」の各平均値

資料：「新型コロナウイルス感染症の影響下における生活意識・行動の変化に関する調査（第１回～第６回）」（内閣府）を基に国土交通省国土政策局作成

図表 コラム8　住宅に対する意識（広さと駅からの距離）

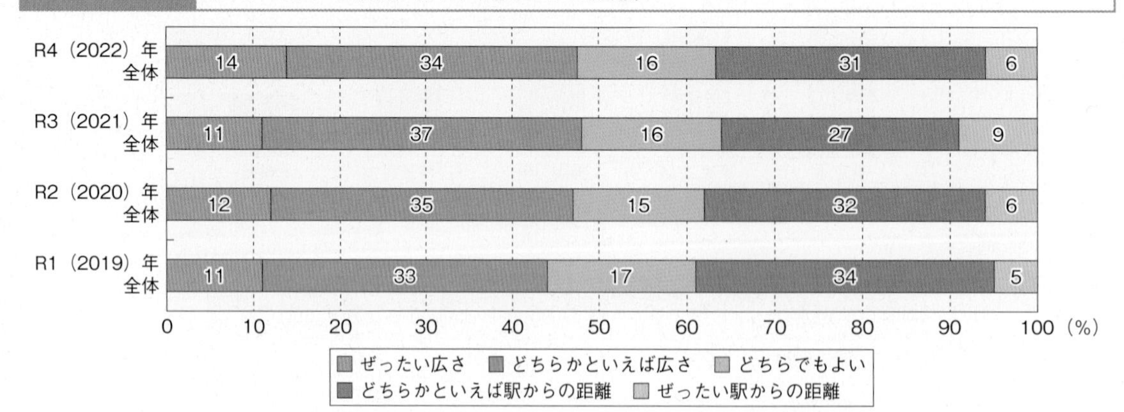

資料：「『住宅購入・建築検討者』調査（2022年）」（リクルート）

図表 コラム9　首都圏の鉄道の定期券利用状況

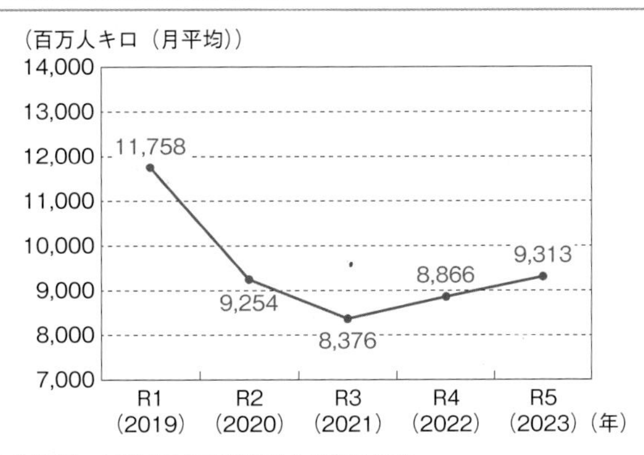

資料：「鉄道輸送統計調査」（国土交通省）を基に国土交通省国土政策局作成

(若者の地方移住等に対する関心は高いが仕事についての懸念がネック)

20代の若者世代の東京都への転入超過数は、図表 コラム2でみたとおり、令和５(2023)年には新型感染症前を超える水準にまで戻っている。一方、新型感染症以降の意識調査の結果を追っていくと、東京圏以外での暮らし方や働き方に対する若い世代の関心は高い水準のまま推移しており、若者の意識の変化と統計上の転入超過数の動きとの間には、食い違いがあるようにもみえる。以下ではこうした若者の人口移動の背景として、新型感染症前後の調査や統計の結果を簡単に紹介する。

はじめに地方移住に対する関心についての調査結果を確認すると、若い世代ほど関心が高く、令和５(2023)年には44.8%と20歳代のおおむね二人に一人が、地方移住に何らかの関心を持っている（図表 コラム10)。また、地方移住に関心を持った理由を尋ねた結果を見ると、感染症リスクに対する懸念が大きく低下する一方、テレビやネット等で地方移住に関する情報を見て興味を持ったとする回答が大きく上昇しており、地方での生活に対するポジティブな情報の広がりが、地方移住への関心の高さを維持する要因になっている(図表 コラム11)。

図表 コラム10　地方移住に関心を持つ人の割合（東京圏在住者）

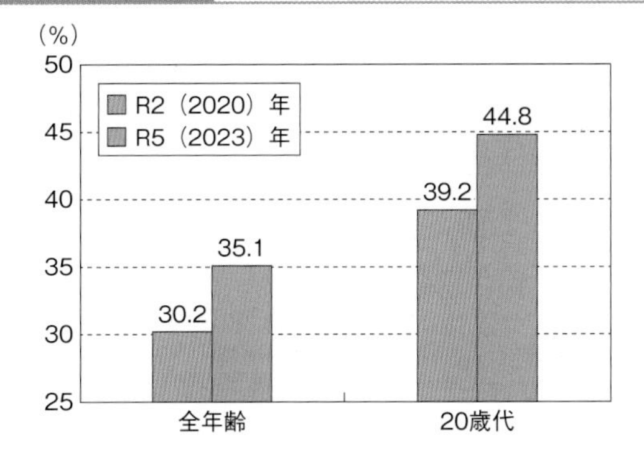

注１：地方移住に関する問に対し、「強い関心がある」、「関心がある」及び「やや関心がある」のいずれかを選んだ東京圏在住者の割合
注２：R２の値は「５月調査」と「12月調査」の平均値
資料：「新型コロナウイルス感染症の影響下における生活意識・行動の変化に関する調査（第１回～第６回)」（内閣府）を基に国土交通省国土政策局作成

図表 コラム11　地方移住に関心を持った理由

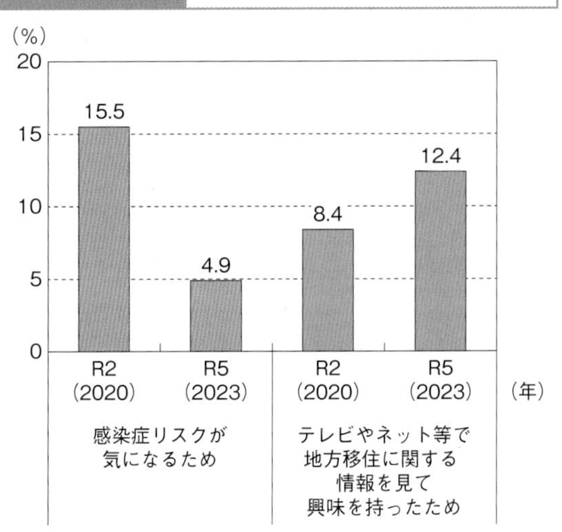

注１：地方移住への関心理由の問に対し、地方移住に関心がある東京圏在住者の回答結果を集計
注２：R２の値は「５月調査」と「12月調査」の平均値
資料：「新型コロナウイルス感染症の影響下における生活意識・行動の変化に関する調査（第１回～第６回)」（内閣府）を基に国土交通省国土政策局作成

次に同調査より、20代回答者の地方移住にあたっての懸念をみると、仕事や収入に関する懸念が46.7%と最も高い（図表 コラム12）。テレワークにより転職なき移住は可能になったものの、接客等で対面が必要な仕事や、建設業や製造業のような現地での作業が必要である仕事では、全ての仕事をテレワークで行うことは難しく[4]、移住が転職を伴う場合には仕事や収入に関わる懸念が特に大きな障害となると考えられる。

図表 コラム12　地方移住について懸念している点（20代の東京圏在住者による回答）

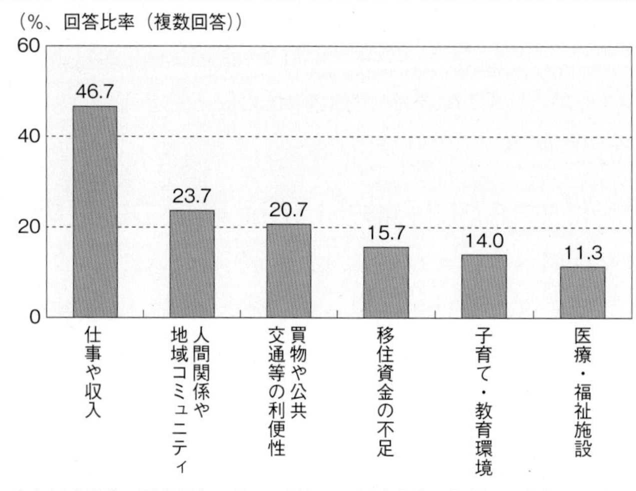

注１：20代の東京圏在住者のうち地方移住に関心がある人々に対して、地方移住や郊外への移住に関心はあるが実行していない理由として、地方移住にどのような点で懸念をもっているか尋ねた結果を集計
注２：回答は複数回答を含む
資料：「新型コロナウイルス感染症の影響下における生活意識・行動の変化に関する調査（第６回）」（内閣府）を基に国土交通省国土政策局作成

仕事や収入における東京と地方の違いを確認すると、まず仕事の種類については、東京が地方よりも豊富な傾向にある。近年の雇用者数の増減を産業別にみると、地方圏では医療・福祉に関わる雇用者の増加が特に大きいのに対し、東京圏では医療・福祉のほか、情報通信業や卸売・小売業など様々な産業で雇用者が増加している（図表 コラム13）。したがって、地方では東京圏に比べて求職者が希望する仕事と就労可能な仕事との間にミスマッチが生じ易い可能性がある。また、賃金についてみると、東京都の賃金は新型感染症前後で4.2%、全国値は2.8%とどちらも上昇しており、依然として東京都の賃金水準が全国値を上回る状態が続いている（図表 コラム14）。一般に東京よりも地方の方が生活コスト等は低廉な傾向があるが[5]、若者世代は移住に際して他の年代以上に収入の低下に敏感であることを示す調査結果もあり[6]、若者の地方に対する関心を実現へと後押しするには、地方と東京の間にある、仕事のバリエーションや収入の高低の差が縮まることが重要と考えられる。

4）国土交通省「令和３年度テレワーク実態調査」によれば、仕事内容がテレワークになじまない理由を尋ねた結果について、「接客等で直接対面が必要（約23%）」、「製造や建設等で現地での作業が必要（約22%）」、「医療・介護等で直接対面が必要（約16%）」としている。
5）総務省「小売物価統計調査（2022年結果）」によれば、東京都の物価水準は全国で最も高く、「構造編」の調査を開始した2013年以降、10年連続で全国１位となっている。なお費目別にみれば、東京は「住居」が極めて高く、次いで「教育」も高いとされている。
6）株式会社パーソル総合研究所（2022）「就業者の地方移住に関する調査報告書」によれば、移住に際する年収減額の許容幅について尋ねたところ「減収は考えられない」と回答した割合が、20代では46.7%（60代では19.1%）と特に高い。

図表 コラム13 雇用者の増加率と産業別寄与度（平成24（2012）年→令和5（2023）年）

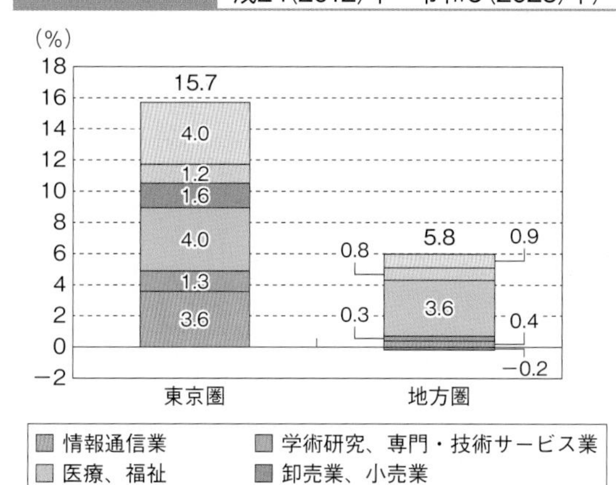

注　：地方圏は全国から東京圏、東海地域及び近畿地域を除いた地域
資料：「労働力調査」（総務省）を基に国土交通省国土政策局作成

図表 コラム14 新型感染症前後の賃金の変化

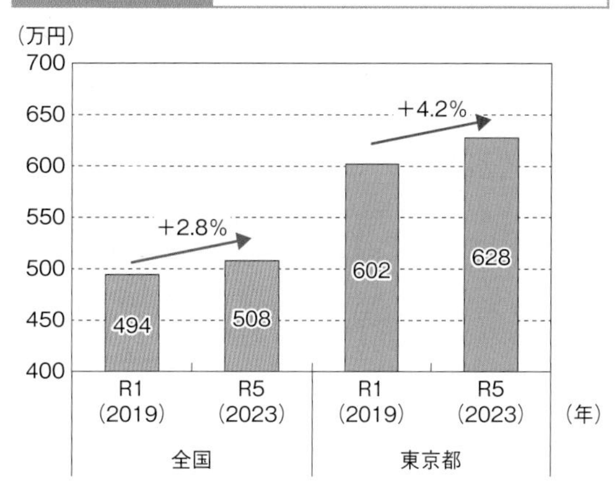

注　：賃金は「賃金構造基本統計調査」におけるR1年のきまって支給する給与を12倍した上で年間賞与その他特別給与額を加えた値を、「毎月勤労統計調査」における名目賃金指数によって延伸。
資料：「賃金構造基本統計調査」（厚生労働省）、「毎月勤労統計調査」（厚生労働省）を基に国土交通省国土政策局作成

（おわりに）

本コラムでは、アフターコロナに生まれつつある新しい人の流れについて簡単に紹介した。冒頭に述べたとおり、人口移動統計からは、新型感染症前と同じように、東京へと人が集まる状況が戻りつつあるようにみえる。一方、新型感染症を経て人々の価値観やライフスタイルは大きく変化しており、多様な働き方や暮らし方が社会に広がっている。このような変化を捉えて地方移住や二地域居住などの取組に力を入れる自治体や移住相談件数も着実に増加しており、こうした取組が地域の活性化へと繋がっていくことが期待される（図表 コラム15）。

図表 コラム15 移住相談件数の推移（平成20（2008）-令和5（2023）年）

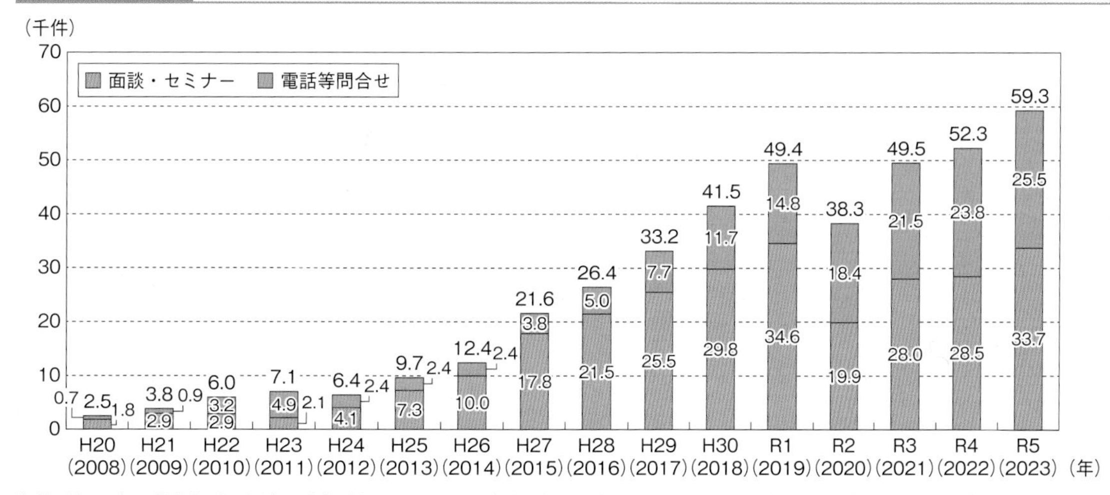

資料：「2023年の移住相談の傾向、移住希望地ランキング」（認定NPO法人ふるさと回帰支援センター）を基に国土交通省国土政策局作成

首都圏白書（令和６年版）

令和６年７月31日発行　　定価は裏表紙に表示してあります。

編　集　国　土　交　通　省
〒100-8918
東京都千代田区霞が関2-1-3
電話　03-5253-8111

発　行　勝美印刷株式会社
〒113-0001
東京都文京区白山1-13-7 アクア白山ビル5F
電話　03-3812-5201

落丁、乱丁本はお取り替えいたします。

ISBN978-4-909946-67-6